le Robert
& Collins
JAPONAIS

DICTIONNAIRE VISUEL

GW00778274

HarperCollins Publishers
Westerhill Road
Bishopbriggs
Glasgow G64 2QT
Great Britain

Première édition / First edition 2021

© HarperCollins 2021
Collins® is a registered trademark of
HarperCollins Publishers Limited

www.collinsdictionary.com

Dictionnaires Le Robert
92, avenue de France
75013 Paris - France

www.lerobert.com

ISBN 978-2-32101-648-9

Tous droits réservés / All rights
reserved

POUR LA MAISON D'ÉDITION / 出版者
Maree Airlie
Teresa Alvarez
Gerry Breslin
Kerry Ferguson

COLLABORATEURS / 共同編集者
Shoko Cesbron
Laurence Larroche
Maurane Prezelin

Photocomposition / Typeset by
Jouve, India

N° d'éditeur : 10268926
Imprimé par / Printed by
Chirat, France
Dépôt légal juillet 2021
Achevé d'imprimer en juin 2021
N° 202102.

AUDIO OFFERT !
Idéal pour améliorer votre
prononciation.
Rendez-vous sur http://activation.
lerobert.com/japonais

MIXTE
Papier issu de
sources responsables
FSC® C022030

SOMMAIRE

Que vous partiez en vacances ou que vous passiez un séjour plus long au Japon, votre **Dictionnaire Visuel Collins** est conçu pour vous aider à trouver exactement ce dont vous avez besoin, au moment où vous en avez besoin. Avec plus de mille images claires et pertinentes, vous trouverez rapidement le vocabulaire que vous recherchez.

LE FAST-FOOD | ファーストフード

On trouve facilement des hamburgers et d'autres plats américains dans tout le Japon et plusieurs chaînes de fast-food sont populaires.

❷ **VOUS POUVEZ DIRE...**

Je voudrais commander, s'il vous plaît.
注文おねがいします。
chūmon onegai shimasu.

Est-ce que vous faites les livraisons ?
配達してもらえますか。
haitatsu shite moraemasu ka?

❸ **VOUS POUVEZ ENTENDRE...**

Sur place ou à emporter ?
お召し上がりですか。お持ち帰りですか。
o-meshiagari desu ka? o-mochikaeri desu ka?

Ce sera tout ?
他にご注文は?
hoka ni go-chūmon wa?

❹ **VOCABULAIRE**

le stand de fast-food 屋台 yatai	le drive ドライブスルー doraibusurū	commander 注文する chūmon suru
le vendeur / la vendeuse 売り子 uriko	le plat à emporter 持ち帰り mochikaeri	livrer 配達する haitatsu suru

❺ **LE SAVIEZ-VOUS ?**

La restauration rapide japonaise plus traditionnelle va d'un bol rapide de nouilles à des sushis, en passant par des nouilles instantanées achetées dans les supérettes.

❶

la boulette de riz aux algues
おにぎり
onigiri

la brochette de poulet
焼き鳥
yakitori

le distributeur
自動販売機
jidōhanbaiki

133

Le Dictionnaire Visuel comprend :

- dix **chapitres** organisés par thèmes, pour trouver facilement ce qui correspond à votre situation
- **①** **des images** illustrant des objets importants
- **②** **VOUS POUVEZ DIRE...** - des phrases courantes que vous pourriez utiliser
- **③** **VOUS POUVEZ ENTENDRE...** - des phrases courantes que vous pourriez retrouver
- **④** **VOCABULAIRE** - des mots courants dont vous pourriez avoir besoin
- **⑤** **LE SAVIEZ-VOUS ?** - des conseils sur les coutumes et les usages locaux
- un **index** pour retrouver toutes les images facilement et rapidement
- des **phrases** et des **nombres** indispensables listés sur les rabats pour pouvoir les consulter rapidement

COMMENT UTILISER VOTRE DICTIONNAIRE VISUEL COLLINS

Les points ci-dessous expliquent quelques concepts de base dans la prononciation et la grammaire du japonais et vous permettront d'utiliser votre **Dictionnaire Visuel Collins** de la meilleure façon possible pour pouvoir communiquer en japonais :

1) Il existe plusieurs méthodes de romanisation du japonais, mais la plus compréhensible pour les locuteurs français est la méthode Hepburn, qui a été légèrement adaptée dans ce dictionnaire. Les voyelles longues (avec une prononciation deux fois plus longues que les voyelles normales) ont été transcrites avec une barre au-dessus de la lettre, sauf pour le double i :

   ā ii ē ō ū
   l'arrêt de bus バス停 basu-tē
   la rue 通り tōri

2) La grammaire japonaise est plus simple que celle des langues européennes en de nombreux aspects : il n'existe pas de genre grammatical, ni d'articles définis ou indéfinis ; il n'y a aucune différence entre le singulier et le pluriel ; les verbes n'ont que deux formes, passée et non-passée (présent ou futur), et ne changent pas selon le sujet.

3) Il existe différents niveaux de politesse, mais seules les formes de politesse acceptables pour une utilisation générale ont été utilisées dans ce livre.

Les verbes sont présentés sous leur forme « simple », utilisée en famille ou avec des amis proches. Cette forme est également utilisée pour créer des structures plus complexes, vous pourrez donc la retrouver dans la langue de tous les jours. Cependant, il est plus sûr d'utiliser la forme polie pour éviter d'apparaître trop familier ou impoli. Sous leur forme polie, les verbes japonais se terminent par « -masu ». Les formes négatives et les temps passés sont indiqués par un changement de la terminaison du verbe.

4) Les Japonais utilisent des petits mots appelés « particules ». Ces particules s'apparentent aux prépositions françaises, mais elles se placent juste après les noms auxquels elles se rapportent. Elles ont les fonctions suivantes :

wa	marque de thématisation
ga	marque du sujet
o	marque de l'objet direct
ni	marque de l'objet indirect, du but et de la localisation
to	relie les noms, « et » ou « avec »
de	indique les moyens par lesquels l'action est effectuée ou le lieu de l'action
no	indique que le deuxième nom est décrit d'une façon ou d'une autre par le premier, ex. : possession
mo	« aussi / également »
kara	« depuis »
made	« jusqu'à / aussi proche que »

D'autres particules se placent à la fin de de phrase pour changer le sens d'une phrase directe. Les plus courantes sont :

ka	marque l'interrogation
ne	demande d'accord ou de confirmation
yo	marque l'insistance

Enfin, certaines sont utilisées pour relier les propositions entre elles et pour créer des phrases complexes. Les plus utiles sont **kara** « parce que / alors » (qui est toujours placée après la raison ou la cause) et **ga** « mais / bien que ».

5) L'ordre des mots japonais est *sujet - objet - verbe*. La phrase japonaise de base possède un thème et un commentaire. Le thème, indiqué par la marque **wa**, est généralement placé au début de la phrase mais est souvent omis s'il peut être déduit du contexte ou est déjà connu des interlocuteurs. Les pronoms personnels sont évités. À la place, le nom de la personne est généralement utilisé, même pour la deuxième personne du singulier. L'ordre des compléments circonstanciels est généralement le suivant : temps - manière - lieu.

Que vous partiez en vacances au Japon ou que vous souhaitiez y habiter, vous allez devoir discuter avec les gens pour apprendre à les connaître. Pouvoir communiquer efficacement avec des connaissances, des amis, de la famille ou des collègues est une étape majeure de la maîtrise du japonais dans une variété de situations du quotidien.

le parapluie
傘
kasa

bleu
青い
aoi

rouge
赤い
akai

vert
緑の
midori no

jaune
黄色い
kiiroi

blanc
白い
shiroi

noir
黒い
kuroi

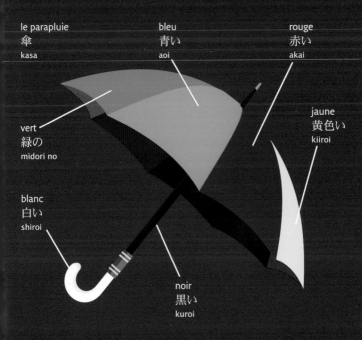

Bonjour.
こんにちは。
konnichiwa.

Bonsoir.
こんばんは。
konbanwa.

À demain.
また、明日。
mata, ashita.

Bonjour. (*le matin*)
おはよう(ございます)。
ohayō (gozaimasu).

Bonne nuit.
おやすみ(なさい)。
oyasumi (nasai).

Au revoir.
さようなら。
sayōnara.

À bientôt.
じゃあ、また。
jā, mata.

À plus !
じゃあね。
jā ne.

Bonjour. (*l'après-midi*)
こんにちは。
konnichiwa.

LE SAVIEZ-VOUS ?

Les Japonais s'inclinent pour exprimer leur respect et leur reconnaissance, ainsi que pour accompagner une salutation, des paroles de considération ou des excuses. Plus le respect, la gratitude ou l'excuse qu'ils expriment est fort, plus l'inclinaison de la tête sera marquée.

Il existe deux autres façons courantes de dire « au revoir » en japonais. La première, いってきます **itte kimasu**, est utilisée par une personne qui part mais qui reviendra plus tard. La deuxième, いってらっしゃい **itte rasshai**, est prononcée en réponse à la première personne et signifie littéralement « pars et reviens ».

Oui / Si.
はい。
hai.

Merci.
ありがとう(ございます)。
arigatō (gozaimasu).

Je suis désolé.
ごめんなさい。
gomennasai.

Non.
いいえ。
iie.

Non merci.
いいえ、結構です。
iie, kekkō desu.

D'accord !
はい!
hai!

Je ne sais pas /
comprends pas.
分かりません。
wakarimasen.

Excusez-moi.
すみません。
sumimasen.

De rien.
いいえ(どういたしまして)。
iie (dō itashimashite).

S'il vous plaît.
お願いします。
onegai shimasu.

Pardon ?
何ですか。
nan desu ka?

Voilà.
どうぞ。
dōzo.

Quel âge avez-vous ?
何歳ですか。
nan-sai desu ka?

Est-ce que je peux vous demander votre âge ?
お年を聞いてもいいですか。
o-toshi o kiite mo ii desu ka?

Quelle est votre date d'anniversaire ?
誕生日はいつですか。
tanjōbi wa itsu desu ka?

J'ai... ans.
…歳です。
...sai desu.

Mon anniversaire est le...
誕生日は…です。
tanjōbi wa ...desu.

Je suis né en...
…で生まれました。
...de umaremashita.

D'où venez-vous ?
出身はどちらですか。
shusshin wa dochira desu ka?

Où habitez-vous ?
どこに住んでいますか。
doko ni sunde imasu ka?

Je viens de...
私は…から来ました。
watashi wa ...kara kimashita.

J'habite à...
…に住んでいます。
...ni sunde imasu.

Je suis...
私は…です。
watashi wa ...desu.

français / française
フランス人
furansu-jin

suisse
スイス人
suisu-jin

belge
ベルギー人
berugii-jin

québécois / québécoise
ケベック人
kebekku-jin

Êtes-vous marié ?
結婚していますか。
kekkon shite imasu ka?

J'ai un compagnon / une compagne.
パートナーがいます。
pātonā ga imasu.

Je suis célibataire.
独身です。
dokushin desu.

Je suis marié.
結婚しています。
kekkon shite imasu.

Je suis divorcé.
離婚しました。
rikon shimashita.

Est-ce que vous avez des enfants ?
お子さんがいますか。
o-kosan ga imasu ka?

J'ai... enfants.
子供が…人います。
kodomo ga ...nin imasu.

Je n'ai pas d'enfants.
子供がいません。
kodomo ga imasen.

9

Les mots désignant les membres de la famille diffèrent selon que l'on parle des membres de sa propre famille (l'endogroupe) ou de celle de quelqu'un d'autre (l'exogroupe). Dans la liste ci-dessous, les termes avant la barre oblique désignent les membres de votre propre famille alors que ceux situés après sont des termes honorifiques utilisés pour désigner la famille de quelqu'un d'autre. Cependant, les usages changent : de nos jours, les jeunes générations utilisent parfois les termes honorifiques pour parler de leur propre famille.

M. / Mme / Mlle
…さん
…san

le mari
夫／ご主人
otto/go-shujin

la femme
妻／奥さん
tsuma/oku-san

le copain
ボーイフレンド
bōi furendo

la copine
ガールフレンド
gāru furendo

le compagnon /
la compagne
パートナー
pātonā

le fiancé / la fiancée
フィアンセ
fianse

le fils
息子／息子さん
musuko/musuko-san

la fille
娘／娘さん
musume/musume-san

la mère
母／お母さん
haha/okā-san

le père
父／お父さん
chichi/otō-san

le grand frère
兄／お兄さん
ani/onii-san

le petit frère
弟／弟さん
otōto/otōto-san

la grande sœur
姉／お姉さん
ane/onē-san

la petite sœur
妹／妹さん
imōto/imōto-san

l'oncle
おじ／おじさん
oji/oji-san

la tante
おば／おばさん
oba/oba-san

le neveu
甥／甥ごさん
oi/oigo-san

la nièce
姪／姪ごさん
mē/mēgo-san

le cousin / la cousine
いとこ
itoko

le grand-père
祖父／おじいさん
sofu/ojii-san

la grand-mère
祖母／おばあさん
sobo/obā-san

le petit-fils
孫(息子)／お孫さん
mago(musuko)/
omago-san

la petite-fille
孫娘／孫娘さん
magomusume/
magomusume-san

le beau-père (*père du conjoint*)
義父
gifu

le beau-père (*mari de la mère*)
血の繋がらない父
chi no tsunagaranai chichi

la belle-mère (*mère du conjoint*)
義母
gibo

la belle-mère (*femme du père*)
血の繋がらない母
chi no tsunagaranai haha

le gendre
義理の息子／…息子さん
giri no musuko/
…musuko-san

la belle-fille (*épouse du fils*)
義理の娘／…娘さん
giri no musume/
…musume-san

le beau-frère
義理の兄 (弟)
giri no ani (otōto)

la belle-sœur
義理の姉 (妹)
giri no ane (imōto)

les beaux-parents
義父母
gifubo

l'ami / l'amie
友達
tomodachi

le voisin / la voisine
近所の人
kinjo no hito

le bébé
赤ん坊／赤ちゃん
akanbō/akachan

l'enfant
子供／お子さん
kodomo/o-ko-san

l'adolescent / l'adolescente
ティーンエージャー
tiin'ējā

les parents
両親／ご両親
ryōshin/go-ryōshin

les frères et sœurs
兄弟姉妹／ご兄弟姉妹
kyōdai-shimai/
go-kyōdai-shimai

Voici mon / ma / mes...
こちらは…です。
kochira wa …desu.

Voici mon mari.
こちらは夫です。
kochira wa otto desu.

LE SAVIEZ-VOUS ?

On utilise les termes honorifiques lorsque l'on parle aux membres de sa famille, sauf pour le petit frère et la petite sœur, pour lesquelles on utilise leur nom + さん **san**, ou plus familièrement ちゃん **chan** (pour les garçons et les filles) ou 君 **kun** (pour les garçons).

Comment allez-vous ?
お元気ですか。
o-genki desu ka?

Comment ça va ?
最近、いかがですか。
saikin, ikaga desu ka?

Très bien, merci, et vous ?
元気です。…さんは?
genki desu. ...san wa?

Bien, merci.
ありがとう。元気です。
arigatō. genki desu.

Super bien !
すごく元気です。
sugoku genki desu.

Pas mal, merci.
ありがとう。まあまあです。
arigatō. māmā desu.

On fait aller.
まずまずです。
mazumazu desu.

Je vais bien.
大丈夫です。
daijōbu desu.

Je suis fatigué.
疲れました。
tsukaremashita.

J'ai faim.
お腹が減っています。
onaka ga hette imasu.

J'ai soif.
のどが渇いています。
nodo ga kawaite imasu.

J'ai froid.
寒いです。
samui desu.

J'ai chaud.
暑いです。
atsui desu.

Je suis / Je me sens...
（私は）…
(watashi wa)...

heureux
うれしいです
ureshii desu

enthousiaste
わくわくします
wakuwaku shimasu

surpris
びっくりしました
bikkuri shimashita

énervé
イライラしています
iraira shite imasu

en colère
怒っています
okotte imasu

triste
悲しいです
kanashii desu

inquiet
心配です
shinpai desu

J'ai peur.
怖いです。
kowai desu.

Je m'ennuie.
退屈です。
taikutsu desu.

bien
健康です
kenkō desu

pas bien
気分が悪いです
kibun ga warui desu

mieux
よくなりました
yoku narimashita

pire
悪くなりました
waruku narimashita

Les Japonais ont tendance à donner le nom de leur employeur plutôt que le métier qu'ils pratiquent. Il est considéré comme prestigieux de travailler pour une grande entreprise, peu importe le poste occupé.

Où travaillez-vous ?
どこで働いていま
すか。
doko de hataraite imasu ka?

Quel est votre métier ?
お仕事は何です
か。
o-shigoto wa nan desu ka?

Est-ce que vous travaillez / étudiez ?
働いて／勉強して
いますか。
hataraite/benkyō shite imasu ka.

Je suis à mon compte.
自営業です。
jiēgyō desu.

Je suis au chômage.
失業中です。
shitsugyō-chū desu.

Je suis à l'université.
大学で勉強してい
ます。
daigaku de benkyō shite imasu.

Je suis à la retraite.
退職しました。
taishoku shimashita.

Je ne travaille pas.
無職です。
mushoku desu.

Je voyage.
旅行中です。
ryokō-chū desu.

Je télétravaille.
家で働いています。
uchi de hataraite imasu.

Je travaille à temps plein / partiel.
常勤／パートで働
いています。
jōkin/pāto de hataraite imasu.

Je travaille à / dans...
…で働いています。
...de hataraite imasu.

Je travaille dans une banque.
銀行に勤めています。
ginkō ni tsutomete imasu.

l'administration
政府
sēfu

le bureau
事務所／会社
jimusho/kaisha

le commerce
商売
shōbai

l'école
学校
gakkō

l'entreprise
会社
kaisha

l'hôpital
病院
byōin

l'hôtel
ホテル
hoteru

le magasin
店
mise

le restaurant
レストラン
resutoran

l'usine
工場
kōjō

Je suis...
私は…です。
watashi wa ...desu.

13

Je travaille comme...
…の仕事をしてい
ます。
…no shigoto o shite imasu.

l'architecte
建築家
kenchikuka

l'avocat / l'avocate
弁護士
bengoshi

le cuisinier /
la cuisinière
シェフ
shefu

le décorateur /
la décoratrice
内装業者
naisō-gyōsha

le dentiste / la dentiste
歯医者
haisha

l'électricien /
l'électricienne
電気技師
denki-gishi

l'employé de bureau /
l'employée de bureau
事務員
jimuin

l'employé de ménage /
l'employée de ménage
清掃人
sēsō-nin

le fonctionnaire /
la fonctionnaire
公務員
kōmuin

l'infirmier / l'infirmière
看護師
kangoshi

l'informaticien /
l'informaticienne
IT 技術者
aitii gijutsusha

l'ingénieur / l'ingénieure
エンジニア
enjinia

le journaliste /
la journaliste
ジャーナリスト
jānarisuto

le mécanicien /
la mécanicienne
機械工
kikaikō

le médecin / la médecin
医者
isha

l'ouvrier du bâtiment /
l'ouvrière du bâtiment
建築業者／大工
kenchiku-gyōsha/daiku

le plombier / la plombière
配管工
haikankō

le policier / la policière
警察官
kēsatsukan

le postier / la postière
郵便局員
yūbinkyokuin

le professeur /
la professeure
教師 (先生)
kyōshi (sensē)

le pompier /
la pompière
消防士
shōbōshi

le serveur / la serveuse
ウェイター／ウェイト
レス
weitā/weitoresu

le vendeur / la vendeuse
店員
ten'in

LE SAVIEZ-VOUS ?

Les hommes travaillant comme employés de bureau sont appelés サラリーマン
sarariiman (littéralement : homme-salaire), tandis que les femmes travaillant à des
postes de secrétariat ou d'administration sont appelées « OL » (pour « office lady » en
anglais soit « femme de bureau »). Le mot 会社員 **kaisha-in** (« employé d'entreprise »)
peut désigner à la fois les femmes et les hommes travaillant dans un bureau.

le matin
朝
asa

l'après-midi
午後
gogo

le soir
晩
ban

la nuit
夜
yoru

midi
正午
shōgo

minuit
真夜中
mayonaka

du matin
午前
gozen

de l'après-midi /
du soir
午後
gogo

Quelle heure est-il ?
何時ですか。
nan-ji desu ka?

Il est neuf heures.
9時です。
ku-ji desu.

Il est neuf heures dix.
9時10分です。
ku-ji ju-ppun desu.

Il est neuf heures et
quart.
9時15分です。
ku-ji jūgo-fun desu.

Il est neuf heures et
demie.
9時半です。
ku-ji han desu.

Il est dix heures moins
vingt.
10時20分前です。
jū-ji niju-ppun mae desu.

Il est dix heures moins
le quart.
10時15分前です。
jū-ji jūgo-fun mae desu.

Il est dix heures moins
cinq.
10時5分前です。
jū-ji go-fun mae desu.

Il est dix heures du
matin.
午前10時です。
gozen jū-ji desu.

Il est dix-sept heures.
午後5時です。
gogo go-ji desu.

Quand... ?
いつ…?
itsu...?

... dans deux minutes.
…2分で。
...ni-fun de.

... dans une heure.
…1時間で。
...ichi-jikan de.

... dans un quart
d'heure / une demi-
heure.
…15／30分で。
...jūgo-fun/sanju-ppun de.

tôt
早い
hayai

tard
遅い
osoi

bientôt
もうすぐ
mōsugu

plus tard
あとで
ato de

maintenant
今
ima

15

lundi
月曜日
getsuyōbi

mercredi
水曜日
suiyōbi

vendredi
金曜日
kin'yōbi

dimanche
日曜日
nichiyōbi

mardi
火曜日
kayōbi

jeudi
木曜日
mokuyōbi

samedi
土曜日
doyōbi

janvier
1月
ichigatsu

avril
4月
shigatsu

juillet
7月
shichigatsu

octobre
10月
jūgatsu

février
2月
nigatsu

mai
5月
gogatsu

août
8月
hachigatsu

novembre
11月
jūichigatsu

mars
3月
sangatsu

juin
6月
rokugatsu

septembre
9月
kugatsu

décembre
12月
jūnigatsu

le jour
日
hi

le mois
月
tsuki

hebdomadaire
週に1度（の）
shū ni ichi-do (no)

le week-end
週末
shūmatsu

l'année
年
toshi

tous les quinze jours
2週間に1度（の）
ni-shūkan ni ichi-do (no)

la semaine
週
shū

la décennie
10年間
jū-nenkan

mensuel
月に1度（の）
tsuki ni ichi-do (no)

les quinze jours
2週間
ni-shūkan

quotidien
毎日（の）
mainichi (no)

annuel
年に1度（の）
nen ni ichi-do (no)

le lundi
月曜日に
getsuyōbi ni

tous les dimanches
毎週日曜日
maishū nichiyōbi

jeudi dernier
前の木曜日
mae no mokuyōbi

vendredi prochain
次の金曜日
tsugi no kin'yōbi

la semaine dernière
先週
senshū

la semaine prochaine
来週
raishū

le mois prochain
来月
raigetsu

aujourd'hui
今日
kyō

ce soir
今晩
konban

demain
明日
ashita

hier
昨日
kinō

après-demain
あさって
asatte

avant-hier
おととい
ototoi

la semaine d'avant
前の週
mae no shū

la semaine d'après
次の週
tsugi no shū

en février
2月に
nigatsu ni

en 2019
2019年に
nisenjūkyū-nen ni

dans les années 80
80年代に
hachijū-nen dai ni

Quel jour sommes-nous aujourd'hui ?
今日は何曜日ですか。
kyō wa nan-yōbi desu ka?

Quelle est la date du jour ?
今日は何日ですか。
kyō wa nan-nichi desu ka?

C'est quand ?
いつですか。
itsu desu ka?

le printemps
春
haru

l'été
夏
natsu

l'automne
秋
aki

l'hiver
冬
fuyu

au printemps / en été / en automne / en hiver
春／夏／秋／冬に
haru/natsu/aki/fuyu ni

la saison des pluies
梅雨
tsuyu

Quel temps fait-il ?
天気はどうですか。
tenki wa dō desu ka?

Quelles sont les
prévisions météo
pour aujourd'hui /
demain ?
今日／明日の天
気予報はどうです
か。
kyō/ashita no tenki-yohō
wa dō desu ka?

Est-ce qu'il va pleuvoir ?
雨が降りそうです
か。
ame ga furi sō desu ka?

Quelle belle journée !
いい天気ですね。
ii tenki desu ne.

Quel mauvais temps !
ひどい天気です
ね。
hidoi tenki desu ne.

Il y a du soleil /
des nuages /
de l'orage.
晴れて／くもって／
荒れています。
harete/kumotte/arete
imasu.

Il y a de la brume.
かすんでいます。
kasunde imasu.

Il y a du brouillard.
霧が深いです。
kiri ga fukai desu.

Le temps est agréable.
心地よい天気です。
kokochi yoi tenki desu.

Il gèle.
すごく寒いです。
sugoku samui desu.

Il pleut / neige.
雨／雪 が降ってい
ます。
ame/yuki ga futte imasu.

Il y a du vent.
風が強いです。
kaze ga tsuyoi desu.

Le temps est...
天気は…です。
tenki wa ...desu.

agréable
いい
ii

mauvais
悪い
warui

chaud
暑い
atsui

froid
寒い
samui

pluvieux
雨の
ame no

humide
蒸し暑い
mushiatsui

le soleil
太陽
taiyō

la pluie
雨
ame

la neige
雪
yuki

la grêle
あられ
arare

la glace
氷
kōri

le vent
風
kaze

le tonnerre
雷鳴
raimē

l'éclair
稲光
inabikari

LES TRANSPORTS | 交通

Le Japon possède un excellent réseau de transports publics, des trains à grande vitesse aux métros, en passant par les bus. Des ponts ou des tunnels relient désormais les quatre îles principales entre elles. Les transports et les routes sont très fréquentés pendant les jours fériés.

l'hélicoptère
ヘリコプター
herikoputā

le rotor
ローター
rōtā

la pale
ブレード
burēdo

le cockpit
コックピット
kokkupitto

le nez
機首
kishu

la queue
尾部
bibu

VOUS POUVEZ DIRE...

Où se trouve... ?
…はどこですか。
...wa doko desu ka?

Dans quelle direction se trouve... ?
…はどちらですか。
...wa dochira desu ka?

Quel est le chemin le plus rapide pour... ?
…に行く一番早い方法は何ですか。
...ni iku ichiban hayai hōhō wa nan desu ka?

C'est loin d'ici ?
ここから遠いですか。
koko kara tōi desu ka?

Je me suis perdu.
道に迷いました。
michi ni mayoimashita.

Je cherche...
…を探しています。
...o sagashite imasu.

Je peux y aller à pied ?
そこまで歩けますか。
soko made arukemasu ka?

Est-ce qu'il y a un bus / train pour... ?
…に行くバス／電車はありますか。
...ni iku basu/densha wa arimasu ka?

VOUS POUVEZ ENTENDRE...

C'est là-bas.
あそこですよ。
asoko desu yo.

C'est à... minutes d'ici.
ここから…分ぐらいです。
koko kara ...fun/pun gurai desu.

Continuez tout droit.
まっすぐ行ってください。
massugu itte kudasai.

Tournez à gauche / droite.
左/右に曲がってください。
hidari/migi ni magatte kudasai.

C'est à côté de...
…の隣です。
...no tonari desu.

C'est en face de...
…の向かいです。
...no mukai desu.

Prenez la direction...
…の表示に従ってください。
...no hyōji ni shitagatte kudasai.

la rue
通り
tōri

le conducteur /
la conductrice
運転手
untenshu

le passager /
la passagère
乗客
jōkyaku

le piéton / la piétonne
歩行者
hokōsha

la circulation
交通
kōtsū

l'embouteillage
交通渋滞
kōtsū jūtai

l'heure de pointe
ラッシュアワー
rasshuawā

les transports en
commun
公共交通機関
kōkyō kōtsū kikan

l'itinéraire
道順
michijun

le panneau de
signalisation
道路標識
dōro hyōshiki

marcher
歩く
aruku

conduire
運転する
unten suru

revenir
帰る／戻る
kaeru/modoru

traverser
横切る
yokogiru

tourner
曲がる
magaru

faire la navette
通勤する
tsūkin suru

demander / indiquer
le chemin
行き方を聞く／教
える
ikikata o kiku/oshieru

le billet
チケット／切符
chiketto/kippu

la carte
地図
chizu

les horaires
時刻表
jikokuhyō

Les Japonais roulent à gauche, comme au Royaume-Uni. Il est obligatoire d'obtenir une traduction certifiée de votre permis de conduire avant de partir, à présenter aux agences de location de voitures. Vous devez également avoir sur vous votre permis de conduire national pour pouvoir conduire au Japon. Toutes les autoroutes sont à péage.

VOUS POUVEZ DIRE...

C'est la route pour... ?
…に行くのはこの道ですか。
…ni iku no wa kono michi desu ka?

Je peux me garer ici ?
ここに駐車してもいいですか。
koko ni chūsha shite mo ii desu ka?

Est-ce que le parking est payant ?
駐車するのに料金がかかりますか。
chūsha suru no ni ryōkin ga kakarimasu ka?

Où est-ce que je peux louer une voiture ?
どこで車を借りられますか。
doko de kuruma ga kariraremasu ka?

Je voudrais louer une voiture...
…車を借りたいんですが。
…kuruma o karitai n desu ga.

... pour 4 jours.
4日間
yokkakan

... pour une semaine.
1週間
isshūkan

Quel est votre prix à la journée / semaine ?
1日／1週間、いくらですか。
ichinichi/isshūkan ikura desu ka?

Quand / Où est-ce que je dois la rendre ?
いつ／どこに車を返さなければいけませんか。
itsu/doko ni kuruma o kaesanakereba ikemasen ka?

Où se trouve la station-service la plus proche ?
一番近いガソリンスタンドはどこですか。
ichiban chikai gasorin–sutando wa doko desu ka?

Je voudrais... yens d'essence, s'il vous plaît.
…円分、入れてください。
…en bun irete kudasai.

Je voudrais... litres d'essence, s'il vous plaît.
…リットル、入れてください。
…rittoru irete kudasai.

C'est la pompe numéro...
…番の給油機です。
…ban no kyūyuki desu.

Vous pouvez / ne pouvez pas vous garer ici.
ここに駐車できます／できません。
koko ni chūsha dekimasu/dekimasen.

Le stationnement est gratuit ici.
駐車は無料です。
chūsha wa muryō desu.

Pour vous garer ici, cela coûte...
ここの駐車料は…円です。
koko no chūsharyō wa ...en desu.

La location de voiture est à... par jour / semaine.
レンタカーは1日／1週間…円です。
rentakā wa ichinichi/isshūkan ...en desu.

Vos papiers, s'il vous plaît.
書類を見せてください。
shorui o misete kudasai.

Rendez la voiture à..., s'il vous plaît.
…に返してください。
...ni kaeshite kudasai.

Veuillez rendre la voiture avec le plein d'essence.
満タンにして車を返してください。
mantan ni shite kuruma o kaeshite kudasai.

Vous êtes à quelle pompe ?
何番の給油機ですか。
nan-ban no kyūyuki desu ka?

Combien d'essence voulez-vous ?
いくら分、入れましょうか。
ikura bun iremashō ka?

VOCABULAIRE

le monospace ワゴン車 wagonsha	le siège arrière 後部座席 kōbuzaseki	le moteur エンジン enjin
le camping-car キャンピングカー kyanpingukā	le siège enfant チャイルドシート chairudo shiito	la batterie バッテリー batterii
le siège passager 助手席 joshuseki	la galerie ルーフラック rūfu rakku	le frein ブレーキ burēki
la place du conducteur 運転席 untenseki	le toit ouvrant サンルーフ sanrūfu	l'accélérateur アクセル akuseru

l'embrayage
クラッチ
kuratchi

la climatisation
空調
kūchō

le régulateur de vitesse
クルーズコントロール
kurūzu-kontorōru

le pot d'échappement
排気管
haikikan

le réservoir de carburant
燃料タンク
nenryō tanku

la boîte de vitesse
ギアボックス
giabokkusu

l'éthylotest
酒気検査機
shuki-kensaki

automatique
オートマ車
ōtomasha

électrique
電気自動車
denki jidōsha

hybride
ハイブリッド車
haiburiddosha

démarrer
エンジンをかける
enjin o kakeru

freiner
ブレーキをかける
burēki o kakeru

doubler
追い越す
oikosu

garer
駐車する
chūsha suru

faire marche arrière
バックする
bakku suru

ralentir
スピードを落とす
supiido o otosu

faire un excès de vitesse
制限速度を超える
sēgen sokudo o koeru

s'arrêter
止まる
tomaru

L'INTÉRIEUR

l'appuie-tête
ヘッドレスト
heddo resuto

la boîte à gants
グローブボックス
gurōbu bokkusu

la ceinture de sécurité
シートベルト
shiito beruto

le compteur de vitesse
速度計
sokudokē

le contact
イグニッション
igunisshon

le frein à main
サイドブレーキ
saidoburēki

le GPS
カーナビ
kānabi

la jauge d'essence
燃料計
nenryōkē

le levier de vitesse
シフトレバー
shifutorebā

le rétroviseur
バックミラー
bakkumirā

le tableau de bord
ダッシュボード
dasshubōdo

le volant
ハンドル
handoru

le coffre
トランク
toranku

le toit
屋根
yane

la portière
ドア
doa

la vitre
窓
mado

l'aile
フェンダー
fendā

la roue
車輪
sharin

le pneu
タイヤ
taiya

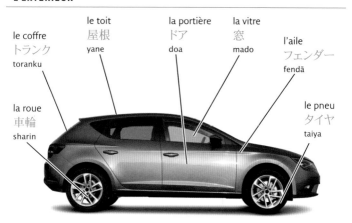

le pare-brise
フロントガラス
furonto garasu

l'essuie-glace
ワイパー
waipā

le rétroviseur latéral
サイドミラー
saido mirā

le capot
ボンネット
bonnetto

le pare-chocs
バンパー
banpā

le phare
ヘッドライト
heddoraito

la plaque
d'immatriculation
ナンバープレート
nanbā purēto

le clignotant
方向指示器
hōkō shijiki

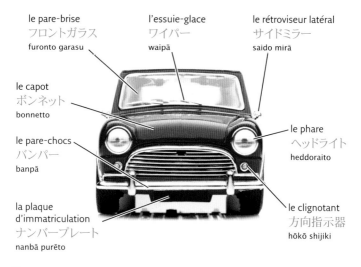

VOCABULAIRE

le coin de la rue
曲がり角
magarikado

la sortie
出口
deguchi

l'aire de repos
待避所
taihijo

le parcmètre
パーキングメーター
pākingu mētā

la limitation de vitesse
制限速度
sēgen sokudo

la déviation
う回路
ukairo

le sens interdit
進入禁止
shinnyū kinshi

le permis de conduire
運転免許証
unten menkyoshō

la carte grise
車両登録証
sharyō tōrokushō

l'assurance automobile
自動車保険
jidōsha hoken

la location de voiture
レンタカー
rentakā

l'essence sans plomb
無鉛ガソリン
muen gasorin

le gasoil
ディーゼル／軽油
diizeru/kēyu

LE SAVIEZ-VOUS ?

Au Japon, les limitations de vitesse, indiquées en km/h, sont plus basses qu'en France. Les limitations sont les suivantes : 40 km/h en agglomération et 30 km/h dans les petites rues, 100 ou 120 km/h sur les autoroutes (avec des vitesses minimales de 40 ou 50 km/h) et 50 ou 60 km/h sur les autres routes. Le Japon applique une tolérance zéro pour la conduite en état d'ébriété.

l'autoroute
高速道路
kōsoku-dōro

le carrefour
交差点
kōsaten

le cône de signalisation
ロードコーン
rōdokōn

les feux (de signalisation)
信号
shingō

le parking
駐車場
chūshajō

le passage à niveau
踏切
fumikiri

le passage pour piétons
横断歩道
ōdan-hodō

le péage
料金所
ryōkinjo

la place de parking
駐車スペース
chūsha supēsu

la place de parking pour handicapé
身障者用駐車スペース
shinshōsha yō chūsha supēsu

le policier / la policière
警察官
kēsatsukan

la pompe à essence
給油機
kyūyuki

le pont
橋
hashi

le radar
スピードカメラ
supiido kamera

le rond-point
環状交差点
kanjō kōsaten

la route
道路
dōro

la station de lavage
洗車
sensha

la station-service
ガソリンスタンド
gasorin sutando

les travaux
工事中
kōjichū

le trottoir
歩道
hodō

le tunnel
トンネル
tonneru

la voie
車線
shasen

29

Si vous tombez en panne, le numéro d'urgence pour la JAF (Japan Automobile Federation, service d'assistance aux conducteurs) est le 0570 00 8139 ou le # 8139. Si vous avez un accident, appelez la police au 110 ou les secours / pompiers au 119.

VOUS POUVEZ DIRE...

Pouvez-vous m'aider ?
手伝ってもらえませんか。
tetsudatte moraemasen ka?

Je suis tombé en panne.
車が故障しました。
kuruma ga koshō shimashita.

J'ai eu un accident.
事故を起こしました。
jiko o okoshimashita.

Je suis en panne d'essence.
ガス欠です。
gasuketsu desu.

J'ai un pneu à plat.
パンクしました。
panku shimashita.

J'ai perdu mes clés de voiture.
車の鍵を失くしました。
kuruma no kagi o nakushimashita.

La voiture ne démarre pas.
車が動きません。
kuruma ga ugokimasen.

Il y a un problème avec...
…に問題があります。
...ni mondai ga arimasu.

Je suis blessé.
けがをしました。
kega o shimashita.

Est-ce qu'il y a un garage / une station-service près d'ici ?
近くに修理工場／ガソリンスタンドがありますか。
chikaku ni shūri-kōjō/gasorin-sutando ga arimasu ka?

Pouvez-vous me remorquer jusqu'à un garage ?
修理工場まで牽引してもらえますか。
shūri-kōjō made ken'in shite moraemasu ka?

Combien vont coûter les réparations ?
修理にいくらぐらいかかりますか。
shūri ni ikura gurai kakarimasu ka?

Quand la voiture sera-t-elle réparée ?
車はいつ直りますか。
kuruma wa itsu naorimasu ka?

Pouvez-vous me donner le nom de votre assurance ?
保険の詳細を教えてください。
hoken no shōsai o oshiete kudasai.

Vous avez besoin d'aide ?
手伝いましょうか。
tetsudaimashō ka?

Vous êtes blessé ?
けがをしませんでしたか。
kega o shimasen deshita ka?

Qu'est-ce qui ne va pas avec votre voiture ?
車のどこがおかしいですか。
kuruma no doko ga okashii desu ka?

Où êtes-vous tombé en panne ?
どこで故障していますか。
doko de koshō shite imasu ka?

Je peux vous remorquer jusqu'à...
…まで牽引してあげますよ。
…made ken'in shite agemasu yo.

Je peux la faire démarrer avec des câbles.
ケーブルに繋いで車を動かしてあげますよ。
kēburu ni tsunaide kuruma o ugoka shite agemasu yo.

Les réparations vont coûter...
修理は…円ぐらいかかります。
shūri wa …en gurai kakarimasu.

On doit commander de nouvelles pièces.
新しい部品を注文しなければなりません。
atarashii buhin o chūmon shinakereba narimasen.

La voiture sera prête...
車は…までにお渡しできます。
kuruma wa …made ni o-watashi dekimasu.

J'ai besoin du nom de votre assurance.
保険の詳細を教えてください。
hoken no shōsai o oshiete kudasai.

VOCABULAIRE

l'accident 事故 jiko	la crevaison パンク panku	avoir une crevaison パンクしている panku shite iru
la panne 故障 koshō	tomber en panne 故障する koshō suru	changer une roue タイヤを換える taiya o kaeru
la collision 衝突 shōtotsu	avoir un accident 事故を起こす jiko o okosu	remorquer 牽引する ken'in suru

l'airbag
エアバッグ
eabaggu

l'antigel
不凍液
futōeki

la borne d'urgence
非常電話
hijō denwa

les câbles de démarrage
ブースターケーブル
būsutā kēburu

les chaînes à neige
タイヤチェーン
taiya chēn

le cric
ジャッキ
jakki

la dépanneuse
レッカー車
rekkāsha

le garage
修理工場
shūri kōjō

le gilet de sécurité
安全反射ベスト
anzen hansha besuto

le mécanicien /
la mécanicienne
修理工
shūrikō

la roue de secours
予備タイヤ
yobi taiya

le triangle de
signalisation
三角警告板
sankaku kēkokuban

32

Les taxis sont sans doute le moyen de transport le plus pratique pour se déplacer au Japon. Les pourboires ne sont pas une pratique courante mais vous pouvez dire au chauffeur de garder la monnaie si c'est un petit montant.

VOUS POUVEZ DIRE...

À..., s'il vous plaît.
…までお願いします。
…made onegai shimasu.

Ça coûte combien ?
いくらですか。
ikura desu ka?

Laissez-moi descendre ici, s'il vous plaît.
ここで降ろしてください。
koko de oroshite kudasai.

Gardez la monnaie.
おつりは取っておいてください。
otsuri wa totte oite kudasai.

VOUS POUVEZ ENTENDRE...

Ça prend environ...
…ぐらい、かかります。
…gurai, kakarimasu.

Ça fait... yens.
…円です。
…en desu.

VOCABULAIRE

la station de taxis
タクシーのりば
takushii noriba

libre
空車
kūsha

réserver un taxi
タクシーを予約する
takushii o yoyaku suru

le taximètre
料金メーター
ryōkin mētā

occupé
実車
jissha

appeler un taxi
タクシーを呼ぶ
takushii o yobu

le chauffeur /
la chauffeuse
運転手
untenshu

la porte automatique
自動ドア
jidō-doa

le taxi
タクシー
takushii

33

Les bus longue distance sont moins chers que le train. Les tickets sont vendus dans les gares routières ou les gares ferroviaires Japan Railways (pour les bus de Japan Railways). Des tramways circulent encore dans certaines villes, à Sapporo et Hiroshima par exemple.

VOUS POUVEZ DIRE...

Quel bus faut-il prendre pour aller au centre-ville ?
どのバスが町の中心に行きますか。
dono basu ga machi no chūshin ni ikimasu ka?

Où se trouve l'arrêt de bus / de tramway ?
バス停／市電乗り場はどこですか。
basu-tē/shiden–noriba wa doko desu ka?

De quel quai ce car part-il ?
長距離バスはどの乗り場から出ますか。
chōkyori basu wa dono noriba kara demasu ka?

Les bus pour... passent à quelle fréquence ?
…行きのバスはどれぐらいの間隔で出ますか。
…iki no basu wa dore gurai no kankaku de demasu ka?

Où est-ce que je peux acheter des tickets ?
どこで切符が買えますか。
doko de kippu ga kaemasu ka?

Est-ce que je peux acheter un ticket à bord du bus / du tramway ?
バス／市電で切符が買えますか。
basu/shiden de kippu ga kaemasu ka?

Combien ça coûte pour aller à... ?
…に行くのはいくらですか。
…ni iku no wa ikura desu ka?

Un aller simple / aller-retour, s'il vous plaît.
片道／往復切符をお願いします。
katamichi/ōfuku kippu o onegai shimasu.

Pouvez-vous me dire quand je dois descendre ?
どこで降りたらいいか教えていただけますか。
doko de oritara ii ka oshiete itadakemasu ka?

C'est dans combien d'arrêts ?
いくつ目で降りたらいいですか。
ikutsume de oritara ii desu ka?

Je veux descendre au prochain arrêt, s'il vous plaît.
すみません、次で降ります。
sumimasen. tsugi de orimasu.

La ligne 17 va à...
17番は…に行きます。
jūnana-ban wa ...ni ikimasu.

L'arrêt de bus est au bout de la rue.
バス停はこの道の先です。
basu-tē wa kono michi no saki desu.

Il part du quai 21.
21番から出ます。
nijūichi-ban kara demasu.

Il y a un bus toutes les 10 minutes.
バスは10分おきに出ます。
basu wa juppun oki ni demasu.

Vous pouvez / ne pouvez pas acheter de tickets dans le bus.
バスで切符が買えます／買えません。
basu de kippu ga kaemasu/kaemasen.

Vous devez acheter les tickets à la borne / au guichet.
券売機／窓口で切符を買ってください。
kenbaiki/madoguchi de kippu o katte kudasai.

C'est votre arrêt, monsieur / madame.
ここで降りてください。
koko de orite kudasai.

LE SAVIEZ-VOUS ?

Les passagers montent généralement dans les bus locaux par la porte arrière et prennent un ticket d'embarquement (整理券 **sēriken**) à la borne. En montant dans le bus, vous devrez prendre un ticket indiquant le numéro de votre arrêt de montée. L'écran à l'avant du bus indique le tarif associé à chaque arrêt. Consultez-le pour savoir quel montant vous devrez payer en sortant du bus. Faites l'appoint (en utilisant le changeur de monnaie si besoin) et déposez le ticket d'embarquement dans la boîte située près du chauffeur en descendant par l'avant du bus. Dans certains bus, les passagers montent par l'avant, paient un tarif fixe et descendent par l'arrière. Des tickets à tarif réduit pour plusieurs trajets (回数券 **kaisūken**) sont souvent disponibles, comme des cartes journalières (1日乗車券 **ichinichi jōshaken**) pour les destinations touristiques populaires.

VOCABULAIRE

la ligne de bus
バス路線
basu rosen

la carte de bus
バス定期
basu tēki

le tarif
運賃
unchin

la voie de bus
バスレーン
basu-rēn

l'arrêt de tramway
市電乗り場
shiden-noriba

l'accessibilité aux handicapés
バリアフリー
baria furii

le bus de nuit
深夜バス
shin'ya basu

la navette d'aéroport
空港バス
kūkō basu

prendre le bus
バスに乗る
basu ni noru

la navette
シャトルバス
shatoru basu

le car de tourisme
観光バス
kankō basu

demander l'arrêt du bus
バスを止める
basu o tomeru

l'arrêt de bus
バス停
basu-tē

le bus
バス
basu

le bus touristique
観光バス
kankō basu

le car
長距離バス
chōkyori basu

la gare routière
バスターミナル
basu tāminaru

le minibus
マイクロバス
maikuro basu

le bouton d'arrêt
降車ブザー
kōsha buzā

le ticket de bus
チケット／切符
chiketto/kippu

le tramway
市電／路面電車
shiden/romen-densha

VOCABULAIRE

le motard / la motarde
オートバイに乗る
人
ōtobai ni noru hito

la mobylette
原付
gentsuki

le scooter
スクーター
sukūtā

le réservoir de
carburant
燃料タンク
nenryō tanku

le guidon
ハンドル
handoru

le garde-boue
泥よけ
doro yoke

la béquille
キックスタンド
kikkusutando

le pot d'échappement
排気管
haikikan

les vêtements de moto
レザースーツ
rezā sūtsu

le blouson de cuir
レザージャケット
rezā jaketto

les bottes
ブーツ
būtsu

le casque
フルフェイス・ヘル
メット
furufēsu herumetto

les gants en cuir
レザーグローブ
rezā gurōbu

les genouillères
膝プロテクター
hiza-purotekutā

la moto
オートバイ
ōtobai

LE VÉLO | 自転車

Les vélos sont beaucoup utilisés au Japon et on peut en louer dans beaucoup de zones touristiques. Même si les cyclistes sont censés rouler sur la route, ils circulent principalement sur les trottoirs en ville. Le casque n'est pas obligatoire.

VOUS POUVEZ DIRE...

Où est-ce que je peux louer des vélos ?
どこで自転車を借りられますか。
doko de jitensha o kariraremasu ka?

Le pneu de mon vélo a crevé.
自転車がパンクしました。
jitensha ga panku shimashita.

Combien coûte la location ?
借りるのはいくらですか。
kariru no wa ikura desu ka?

Pouvez-vous me prêter une pompe à vélo ?
空気入れを貸してください。
kūki-ire o kashite kudasai.

VOUS POUVEZ ENTENDRE...

La location de vélo coûte... par jour.
自転車を借りるのは1日につき…円です。
jitensha o kariru no wa ichinichi ni tsuki ...en desu.

Il y a une piste cyclable entre... et...
…から…まで自転車専用道路があります。
...kara ...made jitensha sen'yō dōro ga arimasu.

VOCABULAIRE

le cycliste / la cycliste
自転車に乗る人
jitensha ni noru hito

la location de vélo
レンタサイクル
renta saikuru

la crevaison
パンク
panku

le VTT
マウンテンバイク
maunten baiku

le râtelier à vélos
自転車ラック
jitensha rakku

crever
パンクする
panku suru

le vélo de route
ロードバイク
rōdo baiku

la piste cyclable
自転車道路
jitensha dōro

faire du vélo
自転車に乗る
jitensha ni noru

LE SAVIEZ-VOUS ?

Les lois strictes du Japon sur la conduite en état d'ébriété s'appliquent également aux cyclistes.

38

LES ACCESSOIRES

l'antivol
自転車ロック
jitensha rokku

le casque
ヘルメット
herumetto

le phare arrière
リフレクター
rifurekutā

le phare avant
ヘッドランプ
heddoranpu

la pompe à vélo
空気入れ
kūki-ire

la sonnette
ベル
beru

LE VÉLO

le guidon
ハンドル
handoru

les vitesses
ギア
gia

la barre transversale
トップチューブ
toppuchūbu

la selle
サドル
sadoru

le cadre
フレーム
furēmu

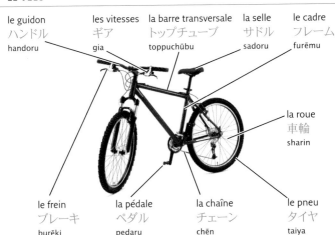

la roue
車輪
sharin

le frein
ブレーキ
burēki

la pédale
ペダル
pedaru

la chaîne
チェーン
chēn

le pneu
タイヤ
taiya

39

Le Japon possède un important réseau ferroviaire, géré par le groupe Japan Railways (JR) et de nombreuses petites compagnies ferroviaires privées avec leurs propres lignes dans les grandes agglomérations. Il est généralement interdit de fumer dans les trains mais il existe encore quelques voitures fumeurs sans places assises dans certains TGV. Il y a un tarif de base selon la distance (乗車券 **jōshaken**) et des suppléments pour les trains express limités (特急 **tokkyū**), les trains express (急行 **kyūkō**) et les trains à grande vitesse (新幹線 **shinkansen**). La réservation est recommandée pour les TGV.

VOUS POUVEZ DIRE...

Quand part le prochain train pour... ?
…に行く次の電車はいつですか。
…ni iku tsugi no densha wa itsu desu ka?

Où est la station de métro la plus proche ?
一番近い地下鉄の駅はどこですか。
ichiban chikai chikatetsu no eki wa doko desu ka?

De quel quai part-il ?
どのホームから出ますか。
dono hōmu kara demasu ka?

Un billet pour..., s'il vous plaît.
…までの切符をお願いします。
…made no kippu o onegai shimasu.

Je voudrais réserver une place, s'il vous plaît.
指定席をお願いします。
shitē-seki o onegai shimasu.

Est-ce qu'il y a une correspondance ?
電車の乗り換えはありますか？
densha no norikae wa arimasu ka?

Où est la correspondance pour... ?
…に行くにはどこで乗り換えなければいけませんか。
…ni iku ni wa doko de norikaenakereba ikemasen ka?

Où est le quai n° 4 ?
4番線はどこですか。
yon-bansen wa doko desu ka?

C'est bien le quai pour... ?
…行きはこのホームでいいですか。
…iki wa kono hōmu de ii desu ka?

C'est bien le train pour... ?
この電車は…に行きますか。
kono densha wa …ni ikimasu ka?

Ce siège est-il libre ?
この席は空いていますか。
kono seki wa aite imasu ka?

J'ai raté mon train !
電車に乗り遅れました。
densha ni noriokuremashita.

Le prochain train part à...
次の電車は…に出ます。
tsugi no densha wa ...ni demasu.

Ce siège est / n'est pas occupé.
この席は座っている人がいます。／空いています。
kono seki wa suwatte iru hito ga imasu/aite imasu.

Vous voulez un aller simple ou un aller-retour ?
片道ですか、往復ですか。
katamichi desu ka, ōfuku desu ka?

Le prochain arrêt est...
次の停車駅は…です。
tsugi no tēsha eki wa ...desu.

Vous avez une correspondance à...
…でお乗り換えください。
...de o-norikae kudasai.

Descendez ici pour aller à...
…へはここで降りてください。
...ewa koko de orite kudasai.

Le quai 4 est par là.
4番線は向こうです。
yon-bansen wa mukō desu.

Vous ne pouvez pas voyager à bord de ce train sans billet express.
特急券がなければ乗れません。
tokkyūken ga nakereba noremasen.

Non, vous devez aller sur le quai n° 2.
いいえ、2番線に行ってください。
iie, ni-bansen ni itte kudasai.

Les grandes villes possèdent toutes un réseau de métro, qui fonctionne d'environ 5 heures du matin jusqu'à minuit. Le métro de Tokyo est l'un des plus grands et des plus fréquentés au monde.

l'abonnement de train
レールカード
rērukādo

la station de métro
地下鉄の駅
chikatetsu no eki

le train local / express
普通/急行（列車）
futsū/kyūkō (ressha)

la ligne
線
sen

la consigne à bagages
手荷物預かり
tenimotsu azukari

le train de passagers
客車
kyakusha

le train de marchandises
貨物列車
kamotsu ressha

le conducteur de
train / la conductrice
de train
電車の運転手
densha no untenshu

le réseau ferroviaire
鉄道網
tetsudōmō

le billet aller simple /
aller-retour
片道/往復切符
katamichi/ōfuku kippu

le billet électronique
Eチケット
ii chiketto

la première classe
グリーン車
guriin-sha

la réservation de siège
座席指定
zaseki shitē

la voiture non-fumeurs
禁煙車
kin'en-sha

avoir une
correspondance
電車を乗り換える
densha o norikaeru

LE SAVIEZ-VOUS ?

Les bentos (弁当 **bentō**), des paniers-repas préparés avec des ingrédients locaux et de saison, sont vendus dans les gares et les trains longue distance. Le vendeur s'inclinera en entrant dans la voiture avec son chariot et annoncera le début de la vente dans cette voiture : 車内販売でございます。(**shanai hanbai de gozaimasu**).

le compartiment à bagages
網棚
amidana

la consigne automatique
コインロッカー
koin rokkā

le contrôleur / la contrôleuse
車掌
shashō

la gare
駅
eki

le guichet
切符売場
kippu uriba

le guichet automatique
券売機
kenbaiki

la locomotive
機関車
kikansha

le métro
地下鉄
chikatetsu

le monorail
モノレール
monorēru

le plateau-repas
駅弁
eki-ben

le panneau d'affichage
掲示板
kējiban

le personnel de gare
駅員
eki-in

le portillon automatique
改札口
kaisatsu guchi

le quai
ホーム
hōmu

le train
電車
densha

le train à grande vitesse
新幹線
shinkansen

la voie
線路
senro

la voiture
客車／車両
kyakusha/sharyō

Les aéroports proposant des vols intercontinentaux se trouvent à, ou dans les environs de Tokyo, Osaka, Nagoya et Fukuoka. Il existe également des aéroports régionaux plus petits qui proposent des vols internationaux vers l'Asie.

VOUS POUVEZ DIRE...

Je cherche l'enregistrement / ma porte d'embarquement.
チェックインカウンター／搭乗ゲートを探しています。
chekkuin-kauntā/tōjō-gēto o sagashite imasu.

J'enregistre un bagage.
荷物を1つチェックインします。
nimotsu o hitotsu chekkuin simasu.

De quelle porte part cet avion ?
この飛行機はどのゲートから出発しますか。
kono hikōki wa dono gēto kara shuppatsu shimasu ka?

À quelle heure commence / se termine l'embarquement ?
何時に、ゲートは開きますか／閉まりますか。
nan-ji ni, gēto wa akimasu ka/shimarimasu ka?

Ce vol est-il à l'heure ?
この便は時間どおりですか。
kono bin wa jikan dōri desu ka?

Je voudrais un siège côté hublot / couloir, s'il vous plaît.
窓側／通路側の席がいいんですが。
mado gawa/tsūro gawa no seki ga ii n desu ga.

J'ai perdu mes bagages.
荷物を失くしました。
nimotsu o nakushimashita.

Mes bagages ne sont pas arrivés.
荷物が届いていません。
nimotsu ga todoite imasen.

Mon vol est en retard.
飛行機が遅れています。
hikōki ga okurete imasu.

J'ai raté ma correspondance.
乗り継ぎ便を逃しました。
noritsugi-bin o nogashimashita.

Est-ce qu'il y a un service de navette ?
シャトルバスがありますか。
shatoru-basu ga arimasu ka?

Votre billet / passeport, s'il vous plaît.

チケット／パスポートを見せていただけますか。

chiketto/pasupōto o misete itadakemasu ka.

Votre vol est à l'heure / en retard / annulé.

便は時間どおりです／遅れています／キャンセルになりました。

bin wa jikan dōri desu/okurete imasu/kyanseru ni narimashita.

Combien de bagages enregistrez-vous ?

チェックインするお荷物はいくつですか。

chekkuin suru o-nimotsu wa ikutsu desu ka?

C'est votre bagage ?

これはお客様のお荷物ですか。

kore wa o-kyakusama no o-nimotsu desu ka?

Vos bagages dépassent la limite de poids autorisée.

お荷物が重量制限を超えています。

o-nimotsu ga jūryō-sēgen o koete imasu.

L'embarquement pour le vol… va commencer.

…便の搭乗を開始いたします。

…bin no tōjō o kaishi itashimasu.

Veuillez vous diriger vers la porte…

…番ゲートにいらっしゃってください。

…ban gēto ni irasshatte kudasai.

Dernier appel pour le passager…

…様、最後のお呼び出しをいたします。

…sama, saigo no o-yobidashi o itashimasu.

VOCABULAIRE

l'hydravion
水上飛行機
suijō-hikōki

le terminal
発着ロビー／ターミナル
hatchaku robii/tāminaru

le contrôle des passeports
出入国審査
shutsunyūkoku shinsa

la compagnie aérienne
航空会社
kōkūgaisha

Arrivées / Départs
到着/出発
tōchaku/shuppatsu

la porte d'embarquement
搭乗ゲート
tōjō gēto

le vol
便
bin

les contrôles de sécurité
保安検査
hoan kensa

le billet électronique
Eチケット
ii chiketto

la douane
税関
zēkan

le personnel de cabine
乗務員
jōmuin

la classe affaires
ビジネスクラス
bijinesu kurasu

la classe économique
エコノミークラス
ekonomii kurasu

le couloir
通路
tsūro

le compartiment à
bagages
天井収納庫
tenjōshūnōko

la tablette
テーブル
tēburu

la ceinture de sécurité
シートベルト
shiitoberuto

le moteur
エンジン
enjin

les ailes
翼
tsubasa

le fuselage
機体
kitai

la soute
貨物室
kamotsushitsu

les bagages en soute
手荷物の預け入れ
tenimotsu no azukeire

l'excédent de bagages
超過手荷物
chōka tenimotsu

le sac fourre-tout
大型手提げかばん
ōgata tesage kaban

les bagages en cabine
機内持ち込み荷物
kinai mochikomi nimotsu

la correspondance
乗り継ぎ便
noritsugi bin

le décalage horaire
時差ぼけ
jisaboke

s'enregistrer
搭乗手続きをする
tōjōtetsuzuki o suru

s'enregistrer en ligne
オンラインチェック
インをする
onrain chekkuin o suru

l'aéroport
空港
kūkō

l'avion
飛行機
hikōki

le bagage à main
機内持ち込み手荷物
kinai mochikomi tenimotsu

la boutique hors taxes
免税店
menzēten

la cabine
客室
kyakushitsu

la carte d'embarquement
搭乗券
tōjōken

le chariot à bagages
手荷物カート
tenimotsu kāto

le cockpit
コックピット
kokkupitto

les guichets
d'enregistrement
搭乗手続きカウンター
tōjō tetsuzuki kauntā

le passeport
パスポート
pasupōto

le pilote / la pilote
パイロット
pairotto

la piste
滑走路
kassōro

la zone de retrait de
bagages
手荷物受取ゾーン
tenimotsu uketori zōn

le tableau des départs
出発掲示板
shuppatsu kējiban

la valise
スーツケース
sūtsukēsu

47

Des ferries longue distance relient encore les quatre îles principales, tandis que des ferries locaux desservent les centaines de petites îles du pays.

VOUS POUVEZ DIRE…

Quand part le prochain bateau pour… ?
次の…行きの船はいつですか。
tsugi no …iki no fune wa itsu desu ka?

D'où part le bateau ?
船はどこから出ますか。
fune wa doko kara demasu ka?

À quelle heure part le dernier bateau pour… ?
…行きの最後の船は何時ですか。
…iki no saigo no fune wa nan-ji desu ka?

Combien de temps dure le trajet / la traversée ?
乗船時間はどれぐらいですか。
jōsen jikan wa dore gurai desu ka?

Il y a combien de traversées par jour ?
1日に船は何便ありますか。
ichinichi ni fune wa nan-bin arimasu ka?

Combien ça coûte pour… passagers.
…人はいくらですか。
…nin wa ikura desu ka?

Combien ça coûte pour un véhicule ?
車の予約はいくらですか。
kuruma no yoyaku wa ikura desu ka?

J'ai le mal de mer.
船酔いしました。
funayoi shimashita.

VOUS POUVEZ ENTENDRE…

Ce bateau part de…
船は…から出ます。
fune wa …kara demasu.

Le trajet / La traversée dure…
乗船時間は…です。
jōsen jikan wa …desu.

Il y a… traversées par jour.
1日に…便あります。
ichinichi ni …bin arimasu.

Le ferry est en retard / annulé.
フェリーは遅れています／キャンセルになりました。
ferii wa okurete imasu/kyanseru ni narimashita.

Les conditions en mer sont bonnes / mauvaises.
海は穏やかです／荒れています。
umi wa odayaka desu/arete imasu.

VOCABULAIRE

la gare maritime
フェリーターミナル
ferii tāminaru

le port
港
minato

le piéton / la piétonne
通行人
tsūkōnin

le canot de sauvetage
救命ボート
kyūmē bōto

l'embarcadère
桟橋
sanbashi

monter à bord
乗船する
jōsen suru

le pont
デッキ
dekki

le capitaine /
la capitaine
キャプテン
kyaputen

quitter le port
出航する
shukkō suru

le pont-garage
車両甲板
sharyō kanpan

l'équipage
乗組員
norikumi-in

mettre à quai
埠頭につく
futō ni tsuku

GÉNÉRAL

l'ancre
アンカー
ankā

la bitte d'amarrage
係船柱
kēsen chū

la bouée
ブイ
bui

la bouée de sauvetage
救命ブイ
kyūmēbui

le canal
運河
unga

le gilet de sauvetage
救命胴衣
kyūmēdōi

la jetée
桟橋
sanbashi

la passerelle
タラップ
tarappu

le port
港
minato

LES BATEAUX

la barque
（オールでこぐ）ボート
(ōru de kogu) bōto

le bateau garde-côtes
沿岸警備隊ボート
engan-kēbitai bōto

le canoë
カヌー
kanū

le canot pneumatique
インフレータブル・
ミニボート
infurētaburu minibōto

le ferry
フェリー
ferii

le kayak
カヤック
kayakku

le paquebot
大型定期船
ōgata tēkisen

le voilier
帆船
hansen

le yacht
ヨット
yotto

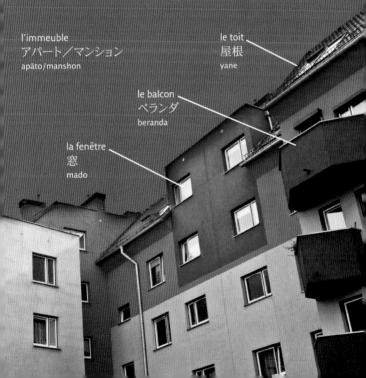

À LA MAISON | 家で

Le Japon attire un grand nombre de touristes et d'expatriés à la recherche d'un lieu où habiter, que ce soit une location de courte durée dans un studio individuel ou une résidence partagée dans un foyer ou une pension de famille.

l'immeuble
アパート／マンション
apāto/manshon

le toit
屋根
yane

le balcon
ベランダ
beranda

la fenêtre
窓
mado

En ville, de nombreux Japonais habitent dans des appartements (アパート apāto).
Ceux de meilleure qualité sont appelés マンション (manshon, de l'anglais
« mansion », « manoir » en français, mais cela n'a en fait rien à voir !).
On trouve des maisons individuelles dans les banlieues et les petites villes.

VOUS POUVEZ DIRE...

J'habite à...
…に住んでいます。
…ni sunde imasu.

Je suis le propriétaire / locataire.
持ち家／借家です。
mochi-ie/shakuya desu.

Je loge à...
…に泊まっています。
…ni tomatte imasu.

J'aime ce quartier.
この地域が好きです。
kono chiiki ga suki desu.

Mon adresse est...
住所は…です。
jūsho wa …desu.

J'aimerais acheter / louer dans
le coin.
ここの家を買いたい／借りた
いんですが。
koko no ie o kaitai/karitai n desu ga.

VOUS POUVEZ ENTENDRE...

Où habitez-vous ?
どこに住んでいますか。
doko ni sunde imasu ka?

Quelle est votre adresse ?
お住まいはどちらですか。
o-sumai wa dochira desu ka?

Où êtes-vous logé ?
どこに泊まっていますか。
doko ni tomatte imasu ka?

Vous êtes le propriétaire / locataire ?
持ち家／借家ですか。
mochi-ie/shakuya desu ka?

VOCABULAIRE

le pavillon
平屋建て
hiraya-date

l'adresse
住所
jūsho

le quartier
街／地区
machi/chiku

le bâtiment
建物
tatemono

la banlieue
郊外
kōgai

l'agence de location /
immobilière
不動産屋
fudōsan-ya

le propriétaire / la propriétaire	le loyer	être propriétaire de
家主	家賃	を所有している
yanushi	yachin	o shoyū shite iru

le locataire / la locataire	le contrat de location	habiter
借家人	賃貸借契約	住んでいる
shakuyanin	chintaishaku kēyaku	sunde iru

le prêt immobilier	louer	déménager
住宅ローン	借りる	引っ越す
jūtaku-rōn	kariru	hikkosu

LE SAVIEZ-VOUS ?

Les villes sont généralement divisées en pâtés de maisons plutôt qu'en rues. Des plaques nominatives identifient les maisons et les boîtes aux lettres des appartements. Certaines indiquent même une version romanisée en plus des caractères japonais habituels.

LES TYPES DE CONSTRUCTIONS

l'auberge
旅館
ryokan

la ferme
農家
nōka

l'hôtel
ホテル
hoteru

l'immeuble
アパート／マンション
apāto/manshon

les logements sociaux
団地
danchi

la maison individuelle
一戸建て
ikko-date

Les logements sont décrits en nombre de pièces plus la cuisine/salle à manger. Un 2DK possède donc 2 pièces, une cuisine/salle à manger, une salle de bain et des toilettes.

VOUS POUVEZ DIRE...

Il y a un problème avec...
…に問題があります。
...ni mondai ga arimasu.

Il y a une coupure de courant.
停電しました。
tēden shimashita.

Ça ne marche pas.
駄目になっています。
dame ni natte imasu.

Pouvez-vous recommander quelqu'un ?
誰か紹介してくれませんか。
dareka shōkai shite kuremasen ka?

Les canalisations sont bouchées.
排水管が詰まりました。
haisuikan ga tsumarimashita.

C'est réparable ?
直りますか。
naorimasu ka?

La chaudière est en panne.
ボイラーが故障しました。
boirā ga koshō shimashita.

Ça sent le gaz / la fumée.
ガス／煙のにおいがします。
gasu/kemuri no nioi ga shimasu.

Il n'y a pas d'eau chaude.
お湯が出ません。
o-yu ga demasen.

Il y a une fuite d'eau.
水が漏れています。
mizu ga morete imasu.

VOUS POUVEZ ENTENDRE...

Quel est le problème ?
どんな問題ですか。
donna mondai desu ka?

Où est le compteur / le tableau électrique ?
メーター／ブレーカーはどこですか。
mētā/burēkā wa doko desu ka?

LE SAVIEZ-VOUS ?

Les méthodes de construction étant différentes au Japon, il vaut mieux demander à un Japonais de contacter une entreprise compétente pour qu'elle envoie un réparateur (修理屋 shūriya) en cas de problème.

la pièce
部屋
heya

le sol
床
yuka

le plafond
天井
tenjō

le mur
壁
kabe

la porte de derrière
裏口
uraguchi

la porte coulissante
引き戸
hikido

le Velux®
天窓
tenmado

le volet
窓シャッター
mado shattā

l'antenne
アンテナ
antena

l'antenne parabolique
衛星放送用アンテナ
ēsē hōsōyō antena

la climatisation
空調
kūchō

la batterie
バッテリー
batterii

le fil électrique
コード
kōdo

la prise (mâle)
プラグ
puragu

l'adaptateur
アダプター
adaputā

la prise (femelle)
コンセント
konsento

l'électricité
電気
denki

le gaz
ガス
gasu

la réparation
修理
shūri

réparer
修理する
shūri suru

demander un devis
見積もりを頼む
mitsumori o tanomu

L'INTÉRIEUR

l'alarme
防犯警報装置
bōhan kēhōsōchi

l'alarme incendie
煙感知器
kemuri-kanchiki

l'ampoule
電球
denkyū

la chaudière
ボイラー
boirā

le compteur
メーター
mētā

le radiateur électrique
電気ヒーター
denki hiitā

la rallonge
延長コード
enchōkōdo

le tableau électrique
ブレーカー
burēkā

le thermostat
サーモスタット
sāmosutatto

L'EXTÉRIEUR

le toit
屋根
yane

la gouttière
雨樋
amadoi

le tuyau de descente
排水管
haisuikan

la fenêtre
窓
mado

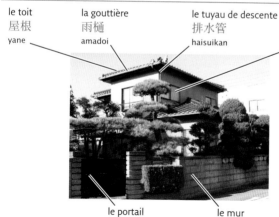

le portail
門
mon

le mur
塀
hē

Contrairement aux portes françaises, les portes japonaises s'ouvrent vers l'extérieur, alors faites attention à ne pas vous les prendre dans le visage ! Les maisons traditionnelles et les auberges japonaises peuvent avoir des portes coulissantes. Dans ce cas, il est d'usage d'ouvrir un peu la porte et de s'annoncer en disant ごめんください! (gomen kudasai!). Toutes les maisons, comme les appartements, possèdent une entrée appelée 玄関 (genkan). C'est dans cette zone qu'il faut toujours enlever et laisser ses chaussures avant de marcher sur le sol principal de la maison, sur lequel on utilise des chaussons (fournis aux invités).

VOUS POUVEZ DIRE / ENTENDRE...

Voulez-vous passer à la maison ?
うちにいらっしゃいませんか。
uchi ni irasshaimasen ka?

Faites comme chez vous.
お楽になさってください。
o-raku ni nasatte kudasai.

Bonjour. Entrez.
どうぞ、お上がりください。
dōzo, o-agari kudasai.

Voici un petit cadeau pour vous.
つまらないものですが。
tsumaranai mono desu ga.

Je prends votre manteau ?
コートをお預かりしましょうか。
kōto o o-azukari shimashō ka?

Où sont les toilettes ?
お手洗いはどこですか？
o-tearai wa doko desu ka?

Voici des chaussons.
スリッパをどうぞ。
surippa o dōzo.

Merci de m'avoir invité.
お招きいただいて、ありがとうございます。
o-maneki itadaite arigatō gozaimasu.

LE SAVIEZ-VOUS ?

Les visiteurs doivent s'excuser du dérangement en entrant dans la maison : お邪魔します (o-jama shimasu).

VOCABULAIRE

la porte d'entrée	le paillasson	la clé
玄関ドア	玄関マット	鍵
genkan doa	genkan-matto	kagi

la boîte aux lettres
郵便受け
yūbin-uke

l'escalier
階段
kaidan

sonner à la porte /
l'interphone
ベル／インターホン
を押す
beru/intāhon o osu

le couloir
廊下
rōka

le palier
踊り場
odoriba

faire entrer quelqu'un
（人）を入れる
(hito) o ireru

l'entrée
玄関
genkan

la rampe
手すり
tesuri

enlever ses chaussures
靴を脱ぐ
kutsu o nugu

LE SAVIEZ-VOUS ?

Si un visiteur japonais vous offre un cadeau, pensez à demander si vous pouvez l'ouvrir, car les cadeaux ne sont généralement pas ouverts devant la personne qui vous les a offerts. Si vous êtes invité chez un Japonais, n'oubliez pas d'apporter un petit cadeau (手土産 temiyage), tel que des gâteaux, des biscuits ou des fruits.

l'ascenseur
エレベーター
erebētā

les chaussons
スリッパ
surippa

l'interphone
インターホン
intāhon

le judas
ドアスコープ
doa-sukōpu

le meuble à chaussures
靴箱／下駄箱
kutsubako/getabako

la sonnette
呼び鈴
yobirin

La pièce traditionnelle japonaise est un espace de vie multi-usage, qui sert de salon, salle à manger, bureau et chambre. Le sol est recouvert d'un tatami. En journée, une table basse est utilisée pour manger et étudier et on s'assied ou s'agenouille sur des coussins de sol plats ou des chaises sans pieds. La nuit, la table est rangée sur le côté de la pièce et on sort les matelas futons avec les couettes. Toute la famille dort côte à côte dans la même pièce. En hiver, une table basse spéciale avec un élément chauffant placé en-dessous こたつ (kotatsu) est utilisée.

la chaise sans pieds
座椅子
zaisu

le coussin de sol
座布団
zabuton

le futon
布団
futon

la paroi en papier
障子
shōji

le rouleau suspendu
掛け軸
kakejiku

la table basse
座卓
zataku

la table chauffante
こたつ
kotatsu

le tatami
畳
tatami

la véranda
縁側
engawa

VOCABULAIRE

la moquette カーペット kāpetto	le tableau 絵画 kaiga	le plafonnier 蛍光灯 kēkōtō
le tapis じゅうたん jūtan	l'objet décoratif 装飾品 sōshokuhin	se détendre くつろぐ kutsurogu
le canapé-lit ソファーベッド sofābeddo	l'abat-jour 電気のかさ denki no kasa	regarder la télévision テレビをみる terebi o miru

GÉNÉRAL

la lampe
電気スタンド
denki-sutando

le lecteur DVD / Blu-Ray®
DVD／ブルーレイプ
レイヤー
dii-bui-dii/brūrē purēyā

le meuble TV
テレビ台
terebi-dai

la radio
ラジオ
rajio

les rideaux
カーテン
kāten

le store
ブラインド
buraindo

la télécommande
リモコン
rimokon

la télévision
テレビ
terebi

le ventilateur électrique
扇風機
senpūki

LE SALON

le sol
床
yuka

la bibliothèque
本棚
hondana

le canapé
ソファー
sofā

le coussin
クッション
kusshon

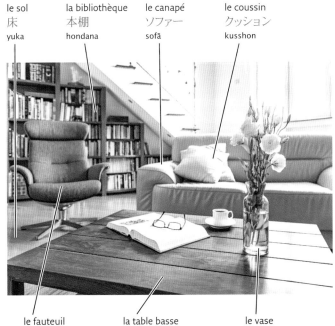

le fauteuil
肘掛け椅子
hijikake-isu

la table basse
ローテーブル
rō tēburu

le vase
花瓶
kabin

61

Le four et le lave-vaisselle sont des équipements récents dans les cuisines japonaises, et restent assez rares. La plupart des plats japonais se préparent avec la cuisinière. L'autocuiseur de riz électrique simplifie ces préparations.

VOCABULAIRE

cuisiner
料理する
ryōri suru

faire la vaisselle
皿を洗う
sara o arau

nettoyer le plan de travail
調理台をきれいにする
chōridai o kirē ni suru

ranger les courses
食料をしまう
shokuryō o shimau

OBJETS DIVERS

l'éponge
スポンジ
suponji

l'essuie-tout
ペーパータオル
pēpā taoru

le film alimentaire
サランラップ®
saranrappu

le papier aluminium
アルミ箔
arumihaku

la poubelle à pédale
ペダル式ゴミ箱
pedaru shiki gomibako

le sac poubelle
ゴミ袋
gomibukuro

l'autocuiseur de riz
炊飯器
suihanki

le batteur
ハンドミキサー
hando-mikisā

la bouilloire
やかん
yakan

la cafetière à piston
コーヒープレス
kōhii-puresu

la casserole
鍋
nabe

le couteau de cuisine
包丁
hōchō

la cuillère en bois
木のスプーン
ki no supūn

l'économe
皮むき器
kawamukiki

le fouet
泡だて器
awadateki

la louche
おたま
otama

le mini-four
オーブントースター
ōbun-tōsutā

l'ouvre-boîte
缶切り
kankiri

la passoire
水きりボウル
mizukiri-bouru

la pelle à poisson
フライ返し
furaigaeshi

la planche à découper
まな板
manaita

la plaque de cuisson
天パン
tenpan

la poêle
フライパン
furaipan

la râpe
おろし器
oroshiki

le robot ménager
フードプロセッサー
fūdo-purosessā

le rouleau à pâtisserie
めん棒
menbō

le saladier
ボウル
bouru

la spatule
へら
hera

le tamis
ざる
zaru

la théière
ティーポット
tiipotto

le tire-bouchon
コルク抜き
koruku-nuki

le verre mesureur
計量カップ
kēryō-kappu

le wok
中華鍋
chūka-nabe

LA CUISINE

l'évier
シンク
shinku

le four
オーブン
ōbun

la plaque
chauffante
コンロ
konro

le micro-ondes
電子レンジ
denshi-renji

le réfrigérateur-
congélateur
冷凍冷蔵庫
rētōrēzōko

le robinet
蛇口
jaguchi

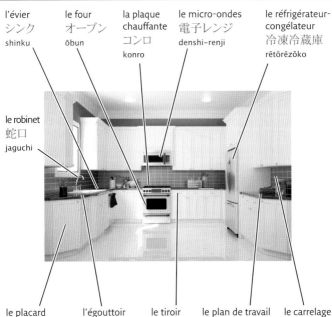

le placard
食器戸棚
shokki-todana

l'égouttoir
水切り台
mizukiridai

le tiroir
引き出し
hikidashi

le plan de travail
調理台
chōridai

le carrelage
タイル
tairu

Dans les maisons japonaises, la cuisine et la salle à manger font généralement partie de la même pièce. Les Japonais invitent parfois des amis proches à manger chez eux, mais ils préfèrent pour la plupart inviter les gens au restaurant.

VOCABULAIRE

la table
食卓
shokutaku

le dessous de verre
コースター
kōsutā

mettre la table
食卓の準備をする
shokutaku no junbi o suru

la chaise
椅子
isu

la vaisselle
食器
shokki

dîner
夕飯を食べる
yūhan o taberu

le set de table
ランチョンマット
ranchon matto

la verrerie
ガラス食器
garasu shokki

débarrasser la table
食卓を片付ける
shokutaku o katazukeru

l'assiette
皿
sara

les baguettes
箸
hashi

le bol à riz
茶碗
chawan

le bol à soupe miso
おわん
o-wan

la coupe à saké
おちょこ
o-choko

le couteau et la fourchette
ナイフとフォーク
naifu to fōku

la cuillère
スプーン
supūn

la cuillère à café
ティースプーン
tii-supūn

le pichet
水差し
mizusashi

le pichet à saké
とっくり
tokkuri

le repose-baguettes
箸置き
hashi-oki

le saladier
サラダボウル
sarada bouru

la serviette
ナプキン
napukin

la tasse à thé
湯呑茶碗
yunomijawan

la tasse et la soucoupe
カップと受け皿
kappu to ukezara

la théière japonaise
きゅうす
kyūsu

le verre
ガラスコップ
garasu-koppu

le verre à vin
ワイングラス
wain-gurasu

VOCABULAIRE

le lit une place
シングルベッド
shinguru beddo

aller se coucher
寝る
neru

faire son lit
ベッドの準備をする
beddo no junbi o suru

le lit deux places
ダブルベッド
daburu beddo

dormir
眠る
nemuru

changer les draps
シーツを替える
shiitsu o kaeru

la chambre d'amis
予備の寝室
yobi no shinshitsu

se réveiller
目が覚める
me ga sameru

aérer le futon
布団を干す
futon o hosu

GÉNÉRAL

le cintre
ハンガー
hangā

la coiffeuse
鏡台/ドレッサー
kyōdai/doressā

la couverture
毛布
mōfu

les draps
シーツ
shiitsu

le linge de lit
寝具
shingu

les lits superposés
二段ベッド
nidan-beddo

le panier à linge
洗濯かご
sentaku-kago

le réveil
目覚まし時計
mezamashi dokē

le sèche-cheveux
ドライヤー
doraiyā

LA CHAMBRE

le miroir
鏡
kagami

la commode
タンス
tansu

le lit
ベッド
beddo

la couette
掛け布団
kakebuton

l'armoire
衣装ダンス
ishōdansu

les rideaux
カーテン
kāten

le tiroir
引き出し
hikidashi

le tapis
じゅうたん
jūtan

l'oreiller
枕
makura

le matelas
マットレス
mattoresu

la table de chevet
ベッドサイドテ
ーブル
beddosaido tēburu

69

Traditionnellement, les toilettes sont séparées de la salle de bain, mais dans les petits appartements modernes, la salle de bain tout-en-un compacte (ユニットバス yunitto basu) remplace les pièces séparées.

VOCABULAIRE

le lavabo
洗面台
senmen dai

les toilettes
トイレ
toire

prendre une douche /
un bain
シャワーを浴びる/
お風呂に入る
shawā o abiru/
o-furo ni hairu

se laver les mains
手を洗う
te o arau

se brosser les dents
歯を磨く
ha o migaku

aller aux toilettes
トイレに行く
toire ni iku

GÉNÉRAL

le papier toilette
トイレットペーパー
toiretto pēpā

la serviette
タオル
taoru

la serviette japonaise
手ぬぐい
tenugui

LA SALLE DE BAIN

le robinet
蛇口
jaguchi

la douche
シャワー
shawā

la baignoire
浴槽
yokusō

le miroir
鏡
kagami

70

Les jardins japonais sont connus pour leur esthétique respirant le calme et la retenue, avec de l'eau, du gravier, des arbres et de la mousse. Les jardins personnels ont tendance à leur ressembler, même si les pelouses et les parterres de fleurs sont de plus en plus populaires.

VOCABULAIRE

l'arbre 木 ki	la mousse 苔 koke	le jardinier / la jardinière 庭師 niwashi
la terre 土 tsuchi	le gravier 小石 koishi	désherber 雑草を取る zassō o toru
l'herbe 草 kusa	le bonsaï 盆栽 bonsai	arroser 水をかける mizu o kakeru
la plante 植物 shokubutsu	le compost 堆肥 taihi	faire pousser 育てる sodateru
la mauvaise herbe 雑草 zassō	le jardin ouvrier 市民農園 shimin nōen	planter 植える ueru

LE JARDIN

l'allée
小道
komichi

la pelouse
芝生
shibafu

le parterre
de fleurs
花壇
kadan

la clôture
塀
hē

les fleurs
花
hana

le pot de fleurs
植木鉢
uekibachi

l'arrosoir
じょうろ
jōro

la brouette
ネコ車
nekoguruma

les ciseaux à bonsaï
盆栽ばさみ
bonsai-basami

le déplantoir
移植ごて
ishokugote

le désherbant
除草剤
josōzai

la fourche
ピッチフォーク
pitchi-fōku

les gants de jardinage
ガーデニング用手袋
gādeningu-yō tebukuro

la pelle
シャベル
shaberu

le râteau
熊手
kumade

le sécateur
剪定ばさみ
sentēbasami

la tondeuse à gazon
芝刈り機
shibakariki

le tuyau d'arrosage
ホース
hōsu

VOCABULAIRE

les appareils
électroménagers
家庭用設備
katē-yō setsubi

les tâches ménagères
毎日の雑用
mainichi no zatsuyō

l'eau de Javel
漂白剤
hyōhakuzai

le désinfectant
消毒液
shōdoku-eki

la pastille de lave-
vaisselle
食洗機用洗剤
shokusenki-yō senzai

la lessive
洗剤
senzai

le liquide vaisselle
食器洗い洗剤
shokkiarai senzai

balayer
床をはく
yuka o haku

faire la lessive
洗濯する
sentaku suru

passer l'aspirateur
掃除機をかける
sōjiki o kakeru

ranger
片付ける
katazukeru

nettoyer
掃除する
sōji suru

l'aspirateur
掃除機
sōjiki

le balai
箒
hōki

le chiffon
雑巾
zōkin

la corbeille
ゴミ箱
gomibako

l'étendoir
物干し
monohoshi

le fer à repasser
アイロン
airon

les gants en caoutchouc
ゴム手袋
gomu-tebukuro

le lave-vaisselle
食洗機
shokusenki

la machine à laver
洗濯機
sentakuki

la pelle
ちり取り
chiritori

les pinces à linge
洗濯ばさみ
sentaku-basami

la planche à repasser
アイロン台
airon-dai

l'étendoir (extérieur)
物干しざお
monohoshi-zao

la poubelle
ゴミ箱
gomibako

le seau
バケツ
baketsu

le sèche-linge
乾燥機
kansōki

la serpillière
モップ
moppu

le tampon à récurer
ナイロンたわし
nairon-tawashi

AUX MAGASINS | 店で

En général, les Japonais aiment faire du shopping. Ils valorisent beaucoup le service client de qualité, que ce soit dans les grands magasins haut de gamme vendant des produits de luxe ou dans les petites boutiques.

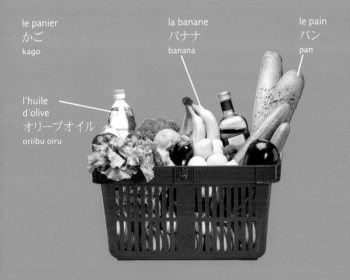

le panier
かご
kago

la banane
バナナ
banana

le pain
パン
pan

l'huile
d'olive
オリーブオイル
oriibu oiru

Des produits artisanaux traditionnels aux technologies de pointe en passant par la mode, il y en a pour tous les goûts au Japon. La plupart des magasins ouvrent à 10 heures pour fermer à 20 heures ou plus tard. Le dimanche est le jour préféré des Japonais pour faire leur shopping.

VOUS POUVEZ DIRE...

Où est le / la... ?
…はどこですか。
...wa doko desu ka?

Où est le / la... le / la plus proche ?
一番近い…はどこですか。
ichiban chikai ...wa doko desu ka?

Où est-ce qu'on peut acheter... ?
…はどこで買えますか。
...wa doko de kaemasu ka?

À quelle heure vous ouvrez / fermez ?
何時に開きます／閉まりますか。
nan-ji ni akimasu/shimarimasu ka?

Je ne fais que regarder, merci.
見ているだけです。
mite iru dake desu.

Est-ce que vous avez... ?
…を売っていますか。
...o utte imasu ka?

Je vais prendre...
…をください。
...o kudasai.

Est-ce que je peux payer par carte ?
カードで払えますか。
kādo de haraemasu ka?

Combien ça coûte ?
これはいくらですか。
kore wa ikura desu ka?

Combien coûte la livraison ?
配達はいくらかかりますか。
haitatsu wa ikura kakarimasu ka?

Je voudrais...
…がほしいんですが。
...ga hoshii n desu ga.

C'est possible d'échanger cet article ?
これを交換してもらえますか。
kore o kōkan shite moraemasu ka?

Est-ce que je peux me faire rembourser ?
払い戻してもらえますか。
haraimodoshite moraemasu ka?

Ce sera tout, merci.
それだけです。ありがとう。
sore dake desu. arigatō.

VOUS POUVEZ ENTENDRE...

Bienvenue. Est-ce que je peux vous aider ?
いらっしゃいませ。
irasshaimase.

Et avec ceci ?
他に何かございますか。
hoka ni nanika gozaimasu ka?

Ça fait...
…円でございます。
...en de gozaimasu.

Voulez-vous que je vous le commande ?
注文いたしましょうか。
chūmon itashimashō ka?

Comment voulez-vous payer ?
お支払方法は?
o-shiharai hōhō wa?

Vous pouvez composer votre code.
暗証番号をお願いします。
anshō-bangō o onegai shimasu.

Est-ce que vous voulez le ticket de caisse ?
領収書／レシートは要りますか。
ryōshūsho/reshiito wa irimasu ka?

Est-ce que vous avez le ticket de caisse ?
レシートをお持ちですか。
reshiito o o-mochi desu ka?

VOCABULAIRE

le magasin
店
mise

le vendeur / la vendeuse
店員
ten'in

le client / la cliente
お客さん／様
o-kyaku-san/-sama

la supérette
コンビニ
konbini

le supermarché
スーパー
sūpā

le centre commercial
ショッピングセンター
shoppingu sentā

le marché
市場
ichiba

les courses
買い物
kaimono

les espèces
現金
genkin

la monnaie
おつり
o-tsuri

le code confidentiel
暗証番号
anshōbangō

le bon de réduction
割引券
waribiki-ken

la carte cadeau /
le chèque cadeau
ギフトカード／ギフト券
gifuto-kādo/gifuto-ken

l'échange
交換
kōkan

le remboursement
払い戻し
haraimodoshi

le retour
返品
henpin

sans contact
コンタクトレス
kontakutoresu

acheter
買う
kau

payer
払う
harau

faire du shopping en
ligne
オンラインで買い物
をする
onrain de kaimono o
suru

faire les courses /
du shopping
買い物／ショッピン
グをする
kaimono/shoppingu o
suru

regarder (dans les
magasins)
あれこれ見て回る
are kore mite mawaru

les billets
紙幣
shihē

la caisse
（お）会計
(o)kaikē

la carte de paiement /
de crédit
デビット／クレジッ
トカード
debitto/kurejitto kādo

le lecteur de carte
カード読み取り機
kādo yomitoriki

le papier cadeau
包装紙
hōsōshi

les pièces
硬貨
kōka

le quartier commerçant
商店街
shōtengai

le sac plastique
レジ袋
reji-bukuro

le ticket de caisse
レシート
reshiito

Les supermarchés sont généralement ouverts de 10 heures à 22 heures environ et les supérettes sont ouvertes 24 heures sur 24. Les sacs sont fournis, souvent pour un petit supplément. Les supérettes vendent toute une gamme de plats préparés et de produits essentiels, y compris des timbres. Elles proposent également de nombreux services, comme une photocopieuse, l'expédition et le retrait de colis, le paiement de factures, la vente de tickets et un distributeur de billets.

VOUS POUVEZ DIRE...

Où se trouve... ?
…はどこにありますか。
…wa doko ni arimasu ka?

Je cherche...
…を探しています。
…o sagashite imasu.

Je n'ai pas besoin d'un sac.
レジ袋は要りません。
reji-bukuro wa irimasen.

VOUS POUVEZ ENTENDRE...

C'est dans le rayon...
…売り場にございます。
…uriba ni gozaimasu.

Avez-vous besoin d'aide pour remplir vos sacs ?
お詰めしましょうか。
o-tsume shimashō ka?

Les sacs sont payants.
レジ袋は有料です。
reji-bukuro wa yūryō desu.

VOCABULAIRE

l'allée	la brique	surgelé
通路	パック	冷凍
tsūro	pakku	rētō
la bouteille	le bocal	les produits laitiers
ボトル	瓶	乳製品
botoru	bin	nyūsēhin
la boîte (*en carton*)	le paquet	allégé
箱	袋	低脂肪
hako	fukuro	tēshibō
la boîte (*de conserve*)	frais	basses calories
缶	新鮮な	低カロリー
kan	shinsen-na	tēkarorii

la balance
はかり
hakari

le chariot
ショッピングカート
shoppingu kāto

le panier
かご
kago

LA NOURRITURE JAPONAISE

les algues hijiki
ひじき
hijiki

les algues kombu
昆布
konbu

les algues wakame
ワカメ
wakame

le bouillon japonais
だし
dashi

les feuilles d'algues nori
海苔
nori

les flocons de bonite
séchés
鰹節
katsuobushi

les graines de soja
fermentées
納豆
nattō

les légumes au vinaigre
漬物
tsukemono

les nouilles chinoises
ラーメン
rāmen

les nouilles de blé
うどん
udon

les nouilles de sarrasin
そば
soba

le miso (rouge /
blanc / brun)
（赤／白／合わ
せ）味噌
(aka/shiro/awase) miso

la pâte de poisson blanc
かまぼこ
kamaboko

les prunes salées
梅干し
umeboshi

le riz
米
kome

le riz complet
玄米
genmai

le saké sucré
味醂
mirin

la sauce soja
醤油
shōyu

le tofu
豆腐
tōfu

le vinaigre / le vinaigre
de riz
酢／米酢
su/komezu

le wasabi
わさび
wasabi

la confiture
ジャム
jamu

les épices
スパイス
supaisu

les fines herbes
ハーブ
hābu

l'huile d'olive
オリーブオイル
oriibu oiru

le ketchup
ケチャップ
kechappu

la mayonnaise
マヨネーズ
mayonēzu

le miel
ハチミツ
hachimitsu

la moutarde
辛子
karashi

les pâtes
パスタ
pasuta

le poivre
こしょう
koshō

le sel
塩
shio

le sucre
砂糖
satō

les bonbons
菓子
kashi

les boulettes de riz sucrées
団子
dango

les chips
ポテトチップス
poteto-chippusu

le chocolat
チョコレート
chokorēto

les fruits secs
ナッツ
nattsu

les galettes de riz
せんべい
senbē

la glace
アイスクリーム
aisukuriimu

les pancakes fourrés
どら焼き
dorayaki

le pop-corn
ポップコーン
poppukōn

LES BOISSONS

la bière
ビール
biiru

la boisson gazeuse
炭酸ドリンク
tansan dorinku

le café glacé
アイスコーヒー
aisu kōhii

le café instantané
インスタントコーヒー
insutanto kōhii

le café moulu
挽いたコーヒー
hiita kōhii

l'eau minérale
ミネラルウォーター
mineraru wōtā

le jus de fruits
フルーツジュース
furūtsu jūsu

le saké
酒／日本酒
sake/nihonshu

les spiritueux
蒸留酒
jōryūshu

le thé d'orge
麦茶
mugicha

le thé (noir)
紅茶
kōcha

le thé vert
緑茶
ryokucha

le thé vert de riz brun
玄米茶
genmaicha

le thé vert torréfié
ほうじ茶
hōjicha

le vin
ワイン
wain

Le marché aux poissons de Toyosu à Tokyo est bien connu, mais il existe de nombreux autres marchés proposant des fruits de mer, des produits frais et d'autres aliments. Les parcs et les temples accueillent également des marchés d'antiquités et des marchés aux puces. Certains marchés sont ouverts presque tous les jours et d'autres ont lieu une fois par semaine ou par mois.

VOUS POUVEZ DIRE...

Où se trouve le marché ?
市場はどこですか。
ichiba wa doko desu ka?

Quel est le jour de marché ?
市場は何曜日ですか。
ichiba wa nan-yōbi desu ka?

100 grammes / 1 kilo de...
…を100グラム／1キロ。
...o hyaku-guramu/ichi kiro.

Une tranche de..., s'il vous plaît.
…を一切れください。
...o hito-kire kudasai.

VOUS POUVEZ ENTENDRE...

Le marché est dans ce bâtiment là-bas.
市場はあの建物の中です。
ichiba wa ano tatemono no naka desu.

Qu'est-ce que vous désirez ?
何を差し上げましょうか。
nani o sashiagemashō ka?

Voilà. Et avec ceci ?
どうぞ。他に何かありますか。
dōzo. hoka ni nanika arimasu ka?

Voici votre monnaie.
おつりです。
o-tsuri desu.

VOCABULAIRE

la place du marché 市場 ichiba	les clients お客さん o-kyaku-san	bio 有機栽培の yūkisaibai no
le marché aux puces フリーマーケット furii-māketto	l'étal 屋台店 yataimise	de saison 旬の shun no
les produits 作物 sakumotsu	local 地元の jimoto no	fait maison 自家製 jikasē

VOCABULAIRE

le marchand /
la marchande de fruits
et légumes
八百屋
yaoya

le jus
ジュース
jūsu

la feuille
葉
ha

le zeste / la pelure
皮
kawa

la graine / le pépin /
le noyau
種
tane

la peau
皮
kawa

sans pépins
種なし
tane-nashi

cru
生
nama

frais
新鮮な
shinsen-na

pourri
腐った
kusatta

mûr
熟した
jukushita

pas mûr
熟していない
jukushite inai

LES FRUITS

l'abricot du Japon
梅
ume

l'ananas
パイナップル
painappuru

l'avocat
アボカド
abokado

la banane
バナナ
banana

la cerise
チェリー
cherii

le citron
レモン
remon

la figue
いちじく
ichijiku

la fraise
イチゴ
ichigo

la grenade
ザクロ
zakuro

la groseille rouge
赤スグリ
aka suguri

le kaki
柿
kaki

le kiwi
キウイ
kiui

la mandarine satsuma
みかん
mikan

la mangue
マンゴー
mango

le marron
栗
kuri

le melon
メロン
meron

la myrtille
ブルーベリー
burūberii

la nectarine
ネクタリン
nekutarin

la nèfle du Japon
びわ
biwa

l'orange
オレンジ
orenji

l'orange navel
ネーブルオレンジ
nēburu orenji

le pamplemousse
グレープフルーツ
gurēpufurūtsu

la papaye
パパイヤ
papaiya

la pastèque
スイカ
suika

la pêche
モモ
momo

la poire japonaise
梨
nashi

la pomme
リンゴ
ringo

la prune
スモモ
sumomo

le raisin
ブドウ
budō

le yuzu
ゆず
yuzu

l'ail
ニンニク
ninniku

les asperges
アスパラガス
asuparagasu

l'aubergine
ナス
nasu

le brocoli
ブロッコリー
burokkorii

la carotte
ニンジン
ninjin

le céleri en branches
セロリ
serori

les champignons
マッシュルーム
masshurūmu

les champignons japonais
キノコ
kinoko

les champignons
shiitaké
しいたけ
shiitake

le chou chinois
白菜
hakusai

le chou-fleur
カリフラワー
karifurawā

le chou vert
キャベツ
kyabetsu

la ciboule
ネギ
negi

le concombre
きゅうり
kyūri

la courgette
ズッキーニ
zukkiini

les épinards
ほうれん草
hōrensō

le gingembre
ショウガ
shōga

les haricots verts
さやいんげん
sayaingen

la laitue
レタス
retasu

le maïs
トウモロコシ
tōmorokoshi

l'oignon
タマネギ
tamanegi

le pak choï
チンゲン菜
chingensai

la patate douce
サツマイモ
satsumaimo

la pérille
しそ
shiso

les petits pois
グリーンピース
guriinpiisu

le piment
トウガラシ
tōgarashi

le poireau
長ネギ
naga negi

le poivron rouge
パプリカ
papurika

la pomme de terre
ジャガイモ
jagaimo

les pousses de bambou
タケノコ
takenoko

la racine de lotus
レンコン
renkon

le radis blanc
大根
daikon

la tomate
トマト
tomato

Bien que certains pains complets à l'européenne soient disponibles dans les grands magasins ou les boulangeries spécialisées, le pain de mie blanc 食パン (shoku-pan), souvent coupé en grosses tranches, est omniprésent. Les petits pains fourrés sucrés ou salés 菓子パン (kashi-pan) sont également courants, tout comme les petits pains à la vapeur fourrés à la viande 肉まん (nikuman) ou à la pâte d'haricots rouges あんまん (anman).

VOUS POUVEZ DIRE...

Je vais prendre...
…をください。
…o kudasai.

Deux / Trois..., s'il vous plaît.
…をふたつ／みっつください。
…o futatsu/mittsu kudasai.

VOUS POUVEZ ENTENDRE...

Et avec ceci ?
他に何かございますか。
hoka ni nanika gozaimasu ka?

Je suis désolé, nous n'avons pas de...
申し訳ありません。…はございません。
mōshiwake arimasen. …wa gozaimasen.

VOCABULAIRE

le boulanger /
la boulangère
パン屋
pan-ya

le pain
パン
pan

le pain complet
全粒粉パン
zenryūfun-pan

la farine
小麦粉
komugiko

sans gluten
グルテンフリー
guruten furii

cuire au four
焼く
yaku

la baguette
フランスパン
furansu-pan

le beignet
ドーナツ
dōnatsu

la brioche
ブリオッシュ
buriosshu

les crêpes
クレープ
kurēpu

le croissant
クロワッサン
kurowassan

l'éclair
エクレア
ekurea

le pain de mie
食パン
shoku-pan

le petit pain
ロールパン
rōru-pan

le petit pain au curry
カレーパン
karē-pan

le petit pain sucré / salé
菓子パン
kashi-pan

le petit pain fourré aux
haricots rouges
アンパン
an-pan

la viennoiserie danoise
デニッシュ
denisshu

93

Les boucheries (comme les autres boutiques spécialisées) sont de plus en plus rares au Japon, mais elles existent encore en ville, avec notamment quelques boucheries halal à Tokyo. Bien sûr, on trouve également des sections boucherie dans les grands magasins et les supermarchés.

VOUS POUVEZ DIRE...

Un kilo de...
…を1キロ。
…o ichi-kiro.

Une tranche de..., s'il vous plaît.
…を一切れください。
…o hito-kire kudasai.

Est-ce que vous pouvez me le découper en tranches, s'il vous plaît ?
薄切りにしてもらえますか。
usugiri ni shite moraemasu ka?

VOUS POUVEZ ENTENDRE...

Bien sûr, monsieur / madame.
分かりました。
wakarimashita.

Quelle quantité voulez-vous ?
どのぐらい差し上げましょうか。
dono gurai sashiagemashō ka?

Vous en voulez combien ?
いくつ差し上げましょうか。
ikutsu sashiagemashō ka?

VOCABULAIRE

le boucher /
la bouchère
肉屋
niku-ya

la viande
肉
niku

la viande rouge
赤身の肉
akami no niku

la viande blanche
白身の肉
shiromi no niku

la charcuterie
冷肉
rēniku

la viande en tranches
薄切り肉
usugiri niku

le bœuf
牛肉／ビーフ
gyūniku/biifu

l'agneau
ラム肉
ramuniku

le mouton
マトン
maton

le porc
豚肉／ポーク
butaniku/pōku

le poulet
鶏肉／チキン
toriniku/chikin

la caille
ウズラ
uzura

les abats
モツ
motsu

cru
生
nama

cuit
火を通した
hi o tōshita

fumé
燻製の
kunsē no

élevé en plein air
放し飼いの
hanashigai no

bio
有機栽培の
yūkisaibai no

le bœuf wagyu
和牛
wagyū

le canard
鴨肉
kamoniku

les côtes
スペアリブ
supearibu

le jambon
ハム
hamu

le lard
ベーコン
bēkon

la saucisse
ソーセージ
sōsēji

le steak
ステーキ
sutēki

le steak haché
バーガー
bāgā

la viande hachée
ミンチ
minchi

Le poisson et les fruits de mer représentent une partie importante de l'alimentation japonaise, qu'ils soient cuits ou crus comme dans le sashimi ou les sushis. Les Japonais consomment une grande variété de poissons différents.

VOUS POUVEZ DIRE...

Est-ce que vous pouvez le découper en filets, s'il vous plaît ?
三枚におろしてください。
san-mai ni oroshite kudasai.

Pouvez-vous le couper pour faire du sashimi, s'il vous plaît ?
刺身用に切ってください。
sashimi-yō ni kitte kudasai.

VOUS POUVEZ ENTENDRE...

Voulez-vous qu'on vous lève les filets ?
三枚におろしましょうか。
san-mai ni oroshimashō ka?

Oui, je peux vous le faire.
はい、分かりました。
hai, wakarimashita.

VOCABULAIRE

le poissonnier /
la poissonnière
魚屋
sakana-ya

l'arête
骨
hone

le filet
切り身
kirimi

en filets
三枚におろした
san-mai ni oroshita

les œufs de poisson
魚卵
gyoran

les écailles
うろこ
uroko

les fruits de mer
海鮮
kaisen

la coquille
貝殻
kaigara

d'eau douce
淡水産の
tansuisan no

d'eau de mer
海産の
kaisan no

d'élevage
養殖の
yōshoku no

sauvage
天然の
tennen no

salé
塩漬けの
shiozuke no

fumé
燻製の
kunsē no

sans arêtes
骨なし
hone nashi

LES POISSONS

l'anguille
ウナギ

unagi

l'ayu
アユ

ayu

le balaou du Japon
サンマ

sanma

le bar
スズキ

suzuki

la bonite à ventre rayé
カツオ

katsuo

le cabillaud
タラ

tara

le chinchard
アジ

aji

la daurade
鯛

tai

le flet
カレイ

karē

le hareng
ニシン

nishin

la limande-sole
レモンソール

remon sōru

la lotte
アンコウ

ankō

le maquereau
サバ
saba

la sardine
イワシ
iwashi

le saumon
サケ
sake

la sériole du Japon
ブリ
buri

le thon
マグロ
maguro

la truite arc-en-ciel
ニジマス
nijimasu

LES FRUITS DE MER

le calamar
イカ
ika

le concombre de mer
なまこ
namako

la coquille Saint-Jacques
ホタテ貝
hotategai

le crabe
カニ
kani

la crevette grise
小エビ
koebi

la crevette rose
海老
ebi

le homard
ロブスター
robusutā

l'huître
カキ
kaki

la langouste
伊勢海老
ise-ebi

la méduse
クラゲ
kurage

la moule
ムール貝
mūrugai

l'ormeau
アワビ
awabi

l'oursin
ウニ
uni

la palourde
アサリ
asari

la pieuvre
タコ
tako

Les produits laitiers ne sont apparus au Japon qu'à la fin du XIXᵉ siècle et, bien que l'on trouve du lait un peu partout, les types de fromages disponibles sont limités.

VOCABULAIRE

le fromage
チーズ
chiizu

le lait demi-écrémé
低脂肪牛乳
tēshihōgyūnyū

le lait de soja
豆乳
tōnyū

le beurre
バター
batā

le bleu
ブルーチーズ
burū-chiizu

le cheddar
チェダーチーズ
chedā-chiizu

la crème
クリーム
kuriimu

le fromage blanc
カッテージチーズ
kattēji-chiizu

le lait
牛乳／ミルク
gyūnyū/miruku

la mozzarella
モツァレラ
motsarera

l'œuf
卵
tamago

le yaourt
ヨーグルト
yōguruto

L'échange de cadeaux est très important au Japon. Les grands magasins consacrent des étages entiers aux cadeaux, avec de superbes emballages qui montrent où ils ont été achetés.

VOUS POUVEZ DIRE...

Est-ce que vous pouvez faire un paquet-cadeau, s'il vous plaît ?
贈り物用に包んでください。
okurimono-yō ni tsutsunde kudasai.

VOUS POUVEZ ENTENDRE...

Est-ce que vous voulez un paquet-cadeau ?
贈り物用にお包みしましょうか。
okurimono-yō ni o-tsutsumi shimashō ka?

l'éventail pliant
扇子
sensu

l'éventail rond
うちわ
uchiwa

la figurine daruma
だるま
daruma

l'impression au bloc de bois
浮世絵
ukiyo-e

l'ombrelle en papier huilé
和傘
wagasa

le papier à origami
折り紙
origami

la petite serviette en coton
手ぬぐい
tenugui

la poupée en bois
こけし
kokeshi

la vaisselle laquée
漆塗り
urushinuri

Les kiosques de gare sont des endroits pratiques où l'on peut acheter des journaux, des magazines, des paniers-repas bento et toutes sortes d'autres articles essentiels pour voyager.

VOCABULAIRE

le bureau de tabac
タバコ屋
tabako-ya

le journal à scandale
スクープ紙
sukūpushi

le panier-repas bento
（お）弁当
(o)bentō

le vendeur /
la vendeuse
売り子
uriko

quotidien
日刊の
nikkan no

le souvenir
おみやげ
omiyage

le journal grand format
高級紙
kōkyūshi

hebdomadaire
週刊の
shūkan no

le chewing-gum
ガム
gamu

la boisson énergisante
栄養ドリンク
eiyō dorinku

la cigarette
タバコ
tabako

la confiserie
菓子
kashi

le journal
新聞
shinbun

le magazine
雑誌
zasshi

le stylo
ペン
pen

Le Japon est un véritable paradis pour tous les amateurs de papeterie, avec une gamme allant du papier à lettres traditionnel élégant à des motifs plus mignons (かわいい kawaii). Les lettres écrites à la main sont toujours appréciées des Japonais les plus âgés. À la place d'une signature, ils utilisent un sceau (印鑑 inkan) avec les caractères de leur nom de famille.

l'autocollant
シール
shiiru

le cahier
ノート
nōto

la carte de vœux
カード
kādo

la carte postale
絵葉書
e-hagaki

le crayon à papier
鉛筆
enpitsu

l'enveloppe
封筒
fūtō

l'enveloppe cadeau
祝儀袋
shūgibukuro

les fournitures de bureau
文房具
bunbōgu

le papier à lettres
便せん
binsen

De nombreux médicaments sont disponibles sans ordonnance, mais elle reste obligatoire pour certains traitements. Les médicaments sont parfois fournis sous forme de poudre, avec des gélules vides et des kits pour les remplir.

VOUS POUVEZ DIRE...

Est-ce que vous avez quelque chose pour... ?
…に効くものはありますか。
…ni kiku mono wa arimasu ka?

Je suis allergique à...
…にアレルギーがあります。
…ni arerugii ga arimasu.

Je viens chercher mes médicaments.
薬を取りに来ました。
kusuri o tori ni kimashita.

Qu'est-ce que vous me conseillez ?
何がいいですか。
nani ga ii desu ka?

Est-ce que ça convient aux enfants en bas âge ?
小さい子どもにも大丈夫ですか。
chiisai kodomo ni mo daijōbu desu ka?

VOUS POUVEZ ENTENDRE...

Vous avez une ordonnance ?
処方箋がありますか。
shohōsen ga arimasu ka?

Est-ce que vous avez des allergies ?
何かアレルギーがありますか。
nanika arerugii ga arimasu ka?

Prenez deux cachets deux fois par jour.
1日2回、2錠ずつ飲んでください。
ichi-nichi ni-kai, ni-jō zutsu nonde kudasai.

Vous devriez voir un médecin.
お医者さんに見てもらったほうがいいですよ。
o-isha-san ni mite moratta hō ga ii desu yo.

Je vous conseille...
…がいいですよ。
…ga ii desu yo.

VOCABULAIRE

le pharmacien /
la pharmacienne
薬剤師
yakuzaishi

le présentoir
陳列台
chinretsudai

le comptoir
カウンター
kauntā

l'ordonnance
処方せん
shohōsen

les produits de toilette
洗面用具
senmenyōgu

la mousse à raser
シェービングフォーム
shēbingu-fōmu

le démaquillant
メイク落とし
mēku-otoshi

le décongestif
鼻づまり薬
hanazumariyaku

le rhume
風邪
kaze

le baume à lèvres
リップクリーム
rippu-kuriimu

le collyre
目薬
megusuri

la diarrhée
下痢
geri

la laque
ヘアスプレー
heasupurē

le médicament
薬
kusuri

le rhume des foins
花粉症
kafunshō

le parfum
香水
kōsui

l'analgésique
痛み止め
itamidome

le mal de tête
頭痛
zutsū

l'antihistaminique
抗ヒスタミン
kō-hisutamin

le tube
チューブ
chūbu

le mal de gorge
のどの痛み
nodo no itami

GÉNÉRAL

le bandage
包帯
hōtai

le comprimé
錠剤
jōzai

la crème antiseptique
殺菌クリーム
sakkin kuriimu

la crème solaire
日焼け止め
hiyakedome

la gélule
カプセル
kapuseru

les gouttes
液剤
ekizai

le pansement adhésif
絆創膏
bansōkō

les pastilles pour la
gorge
のど飴
nodo ame

le préservatif
コンドーム
kondōmu

le répulsif à insectes
虫よけ
mushi-yoke

le sirop contre la toux
咳止めシロップ
sekidome siroppu

le vaporisateur
スプレー
supurē

LES PRODUITS D'HYGIÈNE

le déodorant
制汗剤
sēkanzai

la brosse à dents
歯ブラシ
haburashi

le dentifrice
歯磨き粉
hamigakiko

le gel douche
シャワージェル
shawā jeru

le rasoir
かみそり
kamisori

le savon
石鹸
sekken

la serviette hygiénique
（生理用）ナプキン
(sēri-yō) napukin

le shampoing
シャンプー
shanpū

le tampon
タンポン
tanpon

LES PRODUITS DE BEAUTÉ

la brosse à cheveux
ヘアブラシ
heaburashi

l'eye-liner
アイライナー
airainā

le fard à joues
チーク
chiiku

le fard à paupières
アイシャドー
aishadō

le fond de teint
ファンデーション
fandēshon

le mascara
マスカラ
masukara

le peigne
櫛
kushi

le rouge à lèvres
口紅
kuchibeni

le vernis à ongles
マニキュア
manikyua

107

LES PRODUITS POUR BÉBÉ | ベビー用品

VOCABULAIRE

la tétine
おしゃぶり
oshaburi

faire ses dents
歯が生える
ha ga haeru

allaiter
授乳する
junyū suru

LES VÊTEMENTS

le bavoir
よだれ掛け
yodare kake

le body
肌着
hadagi

le bonnet
帽子
bōshi

les chaussures pour bébé
ベビーシューズ
bebii-shūzu

la grenouillère
ロンパース
ronpāsu

les moufles
ミトン
miton

LES PRODUITS DE SANTÉ ET D'HYGIÈNE

le biberon
哺乳瓶
honyūbin

la crème pour le change
おむつ用クリーム
omutsu-yō kuriimu

le coton-tige®
綿棒
menbō

la couche
おむつ
omutsu

le lait maternisé
粉ミルク
kona miruku

les lingettes humides
ウエットティッシュ
uetto-tisshu

la nourriture pour bébé
ベビーフード
bebii fūdo

le pot
幼児用おまる
yōji-yō omaru

le sac à langer
ベビーバッグ
bebii baggu

LES ACCESSOIRES

la chaise haute
ハイチェア
haichea

l'écharpe porte-bébé
抱っこひも
dakkohimo

le landau
乳母車
ubaguruma

le lit pour bébé
ベビーベッド
bebii beddo

la poussette
ベビーカー
bebiikā

le siège bébé
チャイルドシート
chairudo shiito

Les grands magasins ouvrent généralement de 10 heures à 20 heures, y compris le dimanche, mais sont fermés un jour par semaine.

VOUS POUVEZ DIRE...

Où se trouve... ?
…はどこですか。
…wa doko desu ka?

On est à quel étage ?
ここは何階ですか。
koko wa nan-gai desu ka?

VOUS POUVEZ ENTENDRE...

Les vêtements pour hommes sont au deuxième étage.
紳士服売り場は3階です。
shinshi-fuku uriba wa san-gai desu.

Nous sommes au premier étage.
ここは2階です。
koko wa ni-kai desu.

VOCABULAIRE

la marque
ブランド
burando

le comptoir
カウンター
kauntā

le rayon
売り場
uriba

... étage
…階
...kai/gai

l'escalator
エスカレーター
esukarētā

l'ascenseur
エレベーター
erebētā

les toilettes
トイレ／お手洗い
toire/otearai

les soldes
売出し
uridashi

le comptoir de remboursement de la taxe de vente
免税カウンター
menzē kauntā

les vêtements pour femmes / hommes / enfants
婦人／紳士／子供服
fujin-/shinshi-/kodomo-fuku

les vêtements de sport
スポーツウェア
supōtsu-wea

les maillots de bain
水着
mizugi

le café
喫茶店
kissaten

LE SAVIEZ-VOUS ?

Dans les grands magasins, les visiteurs étrangers peuvent se faire rembourser la TVA en présentant leur passeport au comptoir dédié. Certains autres magasins qui s'adressent aux touristes le proposent également.

les accessoires de mode
装飾品
sōshokuhin

l'alimentation
食品
shokuhin

les articles pour la maison
インテリア
interia

les cadeaux
ギフト
gifuto

les chaussures
靴
kutsu

l'électroménager
家庭電化製品
katē denka sēhin

les jouets
おもちゃ
omocha

la lingerie
下着／肌着
shitagi/hadagi

les meubles
家具
kagu

la mode
ファッション
fasshon

les produits de beauté
化粧品
keshōhin

les sacs
かばん
kaban

La coupe japonaise peut être différente de celle à laquelle les Occidentaux sont habitués. Les grandes tailles ou les grandes pointures ne sont par exemple pas toujours disponibles.

VOUS POUVEZ DIRE...

Je voudrais l'essayer, s'il vous plaît.
これを試着してみたいんですが。
kore o shichaku shite mitai n desu ga.

Où sont les cabines d'essayage ?
試着室はどこですか。
shichakushitsu wa doko desu ka?

Je fais du...
私のサイズは…です。
watashi no saizu wa ...desu.

Vous avez la taille au-dessus / en-dessous ?
もっと大きい／小さいのはありますか。
motto ōkii/chiisai no wa arimasu ka?

C'est trop petit / grand.
これは小さすぎます／大きすぎます。
kore wa chiisasugimasu/ōkisugimasu.

C'est déchiré.
破れています。
yaburete imasu.

Ce n'est pas mon style.
私のスタイルじゃありません。
watashi no sutairu ja arimasen.

VOUS POUVEZ ENTENDRE...

Faites-moi signe si vous avez besoin d'aide.
御用があれば、声をおかけください。
go-yō ga areba, koe o o-kake kudasai.

Les cabines d'essayage sont là-bas.
試着室はあちらです。
shichakushitsu wa achira desu.

Quelle taille / pointure faites-vous ?
サイズはいくつですか。
saizu wa ikutsu desu ka.

Je suis désolé, nous sommes en rupture de stock.
すみません、売り切れました。
sumimasen, urikiremashita.

Je suis désolé, nous n'avons pas cette taille / couleur.
申し訳ありません。そのサイズ／色はございません。
mōshiwake arimasen. sono saizu/iro wa gozaimasen.

Ça vous va bien.
お似合いですよ。
o-niai desu yo.

la cabine d'essayage 試着室 shichakushitsu	les bijoux アクセサリー akusesarii	le jean ジーンズ jiinzu
la taille / la pointure サイズ saizu	le parapluie 傘 kasa	le coton 綿 men
les vêtements 服 fuku	décontracté カジュアルな kajuaruna	le cuir 皮革 hikaku
les chaussures 靴 kutsu	élégant エレガントな eregantona	la soie 絹 kinu
les sous-vêtements 下着 shitagi	la laine ウール ūru	essayer 試着する shichaku suru

LE SAVIEZ-VOUS ?

Les vêtements japonais traditionnels comprennent le kimono, la ceinture obi, la veste de kimono, les sandales en bois et les chaussettes à orteils. En hiver, les vestes rembourrées d'intérieur (はんてん hanten) sont idéales dans les vieilles maisons sans chauffage central.

LES VÊTEMENTS JAPONAIS

la ceinture obi
帯
obi

les chaussettes à orteils
足袋
tabi

le kimono
着物
kimono

le kimono d'été en coton
浴衣
yukata

le manteau de festival
はっぴ
happi

les sandales en bois
下駄
geta

LES VÊTEMENTS

le caleçon
パンツ
pantsu

les chaussettes
靴下
kutsushita

la chemise
ワイシャツ
waishatsu

le chemisier
ブラウス
burausu

les collants
タイツ
taitsu

le costume
スーツ
sūtsu

le slip
パンティー
pantii

le gilet
カーディガン
kādigan

l'imperméable
防水ジャケット
bōsui-jaketto

le jean
ジーンズ
jiinzu

la jupe
スカート
sukāto

le legging
レギンス
reginsu

le manteau
コート
kōto

le pantalon
ズボン／パンツ
zubon/pantsu

le pantalon de
survêtement
ジョギングパンツ
jogingu-pantsu

le pull
セーター
sētā

le pyjama
パジャマ
pajama

la robe (*décontractée*)
ワンピース
wanpiisu

la robe (*tenue de soirée*)
ドレス
doresu

le short
ショーツ
shōtsu

le soutien-gorge
ブラ
bura

le sweat-shirt
トレーナー
torēnā

le t-shirt
Tシャツ
tii-shatsu

la veste
上着
uwagi

LES ACCESSOIRES

les boucles d'oreille
イヤリング／ピアス
iyaringu/piasu

le bracelet
ブレスレット
buresuretto

la ceinture
ベルト
beruto

le collier
ネックレス
nekkuresu

la cravate
ネクタイ
nekutai

l'écharpe
マフラー
mafurā

les gants
手袋
tebukuro

le porte-monnaie
財布
saifu

le sac à main
ハンドバッグ
handobaggu

les baskets
スニーカー
suniikā

les bottes
ブーツ
būtsu

les bottes en caoutchouc
長靴
nagagutsu

les chaussons
スリッパ
surippa

les chaussures à lacets
靴ひも付きの靴
kutsuhimo tsuki no kutsu

les chaussures de marche
トレッキングシューズ
torekkingu shūzu

les sandales
サンダル
sandaru

les escarpins
パンプス
panpusu

les talons hauts
ハイヒール
hai-hēru

VOCABULAIRE

l'outil
道具
dōgu

l'escabeau
踏み台
fumidai

rénover
改装／リフォームする
kaisō/rifōmu suru

la boîte à outils
道具箱
dōgubako

bricoler
日曜大工をする
nichiyodaiku o suru

la clé plate
スパナ
supana

les clous
くぎ
kugi

le marteau
かなづち
kanazuchi

le papier peint
壁紙
kabegami

la peinture
ペンキ
penki

le pinceau
ペンキブラシ
penki burashi

la scie
のこぎり
nokogiri

le tournevis
ドライバー
doraibā

les vis
ねじ
neji

Les magasins discounts japonais, appelés les « magasins à 100 yens »
(百円ショップ hyaku-en shoppu), sont de véritables trésors remplis de toute sortes
d'articles à prix réduit pour la maison, mais aussi la papeterie, le sport, etc.

l'agence de voyages
旅行代理店
ryokō dairiten

l'animalerie
ペットショップ
pettoshoppu

le barbier
床屋
toko-ya

le caviste
酒屋
saka-ya

le fleuriste
花屋
hana-ya

la bijouterie
貴金属店
kikinzokuten

la librairie
本屋
hon-ya

le magasin
d'ameublement
家具屋
kagu-ya

le magasin d'antiquités
骨董品屋
kottōhin-ya

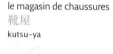

le magasin de chaussures
靴屋
kutsu-ya

le magasin de jouets
おもちゃ屋
omocha-ya

le magasin
d'électroménager
家電量販店
kaden ryōhanten

le magasin
d'électronique
電化製品店
denka sēhinten

le magasin de musique
ミュージックショップ
myūjikku-shoppu

le magasin de produits
diététiques
健康食品店
kenkō shokuhinten

le magasin discount
100円ショップ
hyaku-en shoppu

l'opticien
眼鏡屋
megane-ya

le salon de coiffure
美容院
biyōin

LE QUOTIDIEN | 日常生活

Réunions d'affaires, repas entre amis ou cours à l'université...
peu importe à quoi ressemblera votre quotidien pendant votre
séjour au Japon, vous allez avoir besoin du vocabulaire essentiel
pour pouvoir faire vos courses, préparer vos sorties et occuper
vos journées.

le café au lait
カフェオレ
kafeore

la tasse
カップ
kappu

l'anse
取手
totte

la soucoupe
受け皿
ukezara

VOUS POUVEZ DIRE...

Où allez-vous ?
どこにお出かけですか。
doko ni o-dekake desu ka?

À quelle heure vous finissez ?
何時に終わりますか。
nan-ji ni owarimasu ka?

Qu'est-ce que vous faites aujourd'hui / ce soir ?
今日／今晩、何をしますか。
kyō/konban nani o shimasu ka?

Vous êtes libre vendredi ?
金曜日は暇ですか。
kin'yōbi wa hima desu ka?

Où / Quand est-ce qu'on se retrouve ?
どこで／いつ、会いましょうか。
doko de/itsu aimashō ka?

VOUS POUVEZ ENTENDRE...

Je suis au travail / à l'université.
働いています／大学で勉強しています。
hataraite imasu/daigaku de benkyō shite imasu.

J'ai un jour de congé.
1日休みです。
ichi-nichi yasumi desu.

Je vais à...
…に行きます。
...ni ikimasu.

Je vais revenir vers...
…時頃に戻ります。
...ji goro ni modorimasu.

Je vous retrouve au restaurant.
レストランで会いましょう。
resutoran de aimashō.

VOCABULAIRE

se réveiller 目が覚める me ga sameru	boire 飲む nomu	retrouver des amis 友達に会う tomodachi ni au
s'habiller 服を着る fuku o kiru	étudier 勉強する benkyō suru	rentrer chez soi 家に帰る ie ni kaeru
manger 食べる taberu	travailler 働く hataraku	aller se coucher 寝る neru

Un petit-déjeuner traditionnel japonais est la version plus simple d'un repas principal, avec du riz, de la soupe miso, du poisson grillé, un œuf et des légumes cuisinés ou marinés au vinaigre, le tout accompagné de thé vert. Mais le petit-déjeuner occidental est de plus en plus populaire et les cafés proposent souvent un menu petit-déjeuner appelé モーニング・サービス (mōningu sābisu - littéralement « service du matin ») ou モーニング・セット (mōningu setto). Ce menu comprend des tartines de beurre grillées en tranches épaisses, un œuf dur, une mini-salade et du thé ou du café.

VOCABULAIRE

prendre le petit-déjeuner	sauter le petit-déjeuner
朝ご飯を食べる	朝ご飯を抜く
asagohan o taberu	asagohan o nuku

LE SAVIEZ-VOUS ?

Il existe des phrases toutes faites à dire avant et après le repas : いただきます (itadakimasu) et ごちそうさま (gochisōsama), ce qui veut à peu près dire « Je mange humblement » et « C'était un bon repas ».

le café
コーヒー
kōhii

le café au lait
カフェオレ
kafeore

les céréales
シリアル
shiriaru

la confiture
ジャム
jamu

le croissant
クロワッサン
kurowassan

les graines de soja fermentées
納豆
nattō

le gruau de riz
お粥
o-kayu

le jus d'orange
オレンジジュース
orenji jūsu

l'œuf dur
ゆで卵
yude-tamago

l'omelette roulée
卵焼き
tamagoyaki

le pain
パン
pan

le pain grillé
トースト
tōsuto

le poisson grillé
焼き魚
yakizakana

les prunes salées
梅干し
umeboshi

la soupe miso
みそ汁
misoshiru

le thé noir
紅茶
kōcha

le thé vert
緑茶
ryokucha

le yaourt
ヨーグルト
yōguruto

Les repas japonais sont souvent composés de plusieurs plats servis en même temps plutôt que les uns après les autres. Les desserts n'en font traditionnellement pas partie, mais on trouve parfois quelques fruits parmi les plats servis.

VOUS POUVEZ DIRE...

Qu'est-ce qu'on mange ce soir ?
晩ご飯は何ですか。
bangohan wa nan desu ka?

On mange à quelle heure ce midi ?
昼ご飯は何時ですか。
hirugohan wa nan-ji desu ka?

Est-ce que je peux avoir... ?
…をお願いします。
...o onegai shimasu.

Je peux goûter ?
味見してもいいですか。
ajimi shite mo ii desu ka?

VOUS POUVEZ ENTENDRE...

On mange... ce soir.
晩ご飯は…です。
bangohan wa ...desu.

Le déjeuner est à midi.
昼ご飯は正午です。
hirugohan wa shōgo desu.

À table !
ご飯ができましたよ！
gohan ga dekimashita yo!

Est-ce que vous voulez... ?
…はいかがですか。
...wa ikaga desu ka?

VOCABULAIRE

la nourriture	le déjeuner	déjeuner
食べ物	昼ご飯	昼ご飯を食べる
tabemono	hiru-gohan	hiru-gohan o taberu
la boisson	le dîner	dîner
飲み物	晩ご飯	晩ご飯を食べる
nomimono	ban-gohan	ban-gohan o taberu

LE SAVIEZ-VOUS ?

Le riz, au cœur de la gastronomie et de la culture japonaise, est fortement lié au shintoïsme en tant que symbole de prospérité. Alors que la plante et le riz cru sont appelés 米 (kom), le riz cuit servi à la japonaise ou à la chinoise s'appelle ご飯 (gohan). Gohan signifie « repas » ou « nourriture », comme dans petit-déjeuner (朝ご飯 asagohan) et dîner (晩ご飯 bangohan). Le riz cuit différemment, au curry par exemple, est appelé ライス (raisu).

les anguilles grillées avec du riz
うな重
una-jū

le flan salé aux œufs
茶碗蒸し
chawan mushi

la fondue de bœuf au bouillon
しゃぶしゃぶ
shabu-shabu

la fondue de bœuf sucrée
すき焼き
sukiyaki

les nouilles chinoises
ラーメン
rāmen

les nouilles de blé
うどん
udon

les nouilles de sarrasin
そば
soba

les nouilles sautées à la viande et aux légumes
焼きそば
yakisoba

le porc pané
トンカツ
tonkatsu

le ragoût japonais
ちゃんこ鍋
chanko nabe

les raviolis chinois
餃子
gyōza

le riz à la japonaise
ご飯
gohan

le riz au curry
カレーライス
karēraisu

le riz au poulet et aux
œufs
親子丼
oyako-don

le sashimi
刺身
sashimi

la soupe miso
みそ汁
misoshiru

le sushi
すし
sushi

le tempura
てんぷら
tenpura

LES PLATS OCCIDENTAUX

les frites
フライドポテト
furaido poteto

le gratin
グラタン
guratan

les légumes crus
生野菜
nama-yasai

les légumes cuisinés
温野菜
on-yasai

l'omelette
オムレツ
omuretsu

les pâtes
パスタ
pasuta

la pizza
ピザ
piza

les pommes de terre
ジャガイモ
jagaimo

la salade
サラダ
sarada

LES GOURMANDISES

la crème caramel
プリン
purin

la gelée au café
コーヒーゼリー
kōhii zerii

la gelée aux algues
ところてん
tokoroten

la gelée sucrée aux
haricots rouges
ようかん
yōkan

la génoise
カステラ
kasutera

la glace
アイスクリーム
aisukuriimu

la glace râpée au sirop
かき氷
kakigōri

le parfait aux fruits
フルーツパフェ
furūtsu pafe

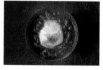

la soupe sucrée de
haricots rouges
お汁粉
o-shiruko

AU RESTAURANT | 外食

Les restaurants japonais sont souvent spécialisés dans un seul type de plat, comme le tempura ou les sushis, ce qui se reflète dans leur nom, qui peut se traduire par « boutique de... » : 天ぷらや (tempura-ya), 寿司屋 (sushi-ya). De nombreux restaurants et cafés présentent dans leur vitrine des reproductions en plastique des plats proposés, utiles pour ceux qui ne peuvent pas lire le menu. Dans certains restaurants traditionnels, on doit enlever ses chaussures à l'entrée de la salle à manger et s'asseoir sur des coussins posés sur le sol en tatami, devant une table basse. La plupart des établissements vous apporteront un verre d'eau ou une tasse de thé vert et une おしぼり (o-shibori), petite serviette humide pour vous essuyer les mains.

VOUS POUVEZ DIRE...

Je voudrais faire une réservation.
予約をしたいんですが。
yoyaku o shitai n desu ga.

Une table pour quatre, s'il vous plaît.
4人、お願いします。
yo-nin onegai shimasu.

Une table non-fumeurs, s'il vous plaît.
禁煙席、お願いします。
kin'en-seki onegai shimasu.

Nous avons choisi.
注文が決まりました。
chūmon ga kimarimashita.

Qu'est-ce que vous nous conseillez ?
お薦めは何ですか。
osusume wa nan desu ka?

Quels sont les plats du jour ?
今日のお薦めは何ですか。
kyō no o-susume wa nan desu ka?

Je vais prendre..., s'il vous plaît.
…をお願いします。
…o onegai shimasu.

Est-ce qu'il y a des plats végétariens / végétaliens ?
ベジタリアン用／ビーガン用にできますか。
bejitarian-yō/biigan-yō ni dekimasu ka?

Je suis allergique à...
…にアレルギーがあります。
…ni arerugii ga arimasu.

Santé !
乾杯!
kanpai!

Excusez-moi, c'est froid / trop salé.
すみませんが、これは冷たいです／しょっぱすぎます。
sumimasen ga, kore wa tsumetai desu/shoppasugimasu.

Ce n'est pas ce que j'ai commandé.
注文したものと違います。
chūmon shita mono to chigaimasu.

L'addition, s'il vous plaît.
お勘定、お願いします。
o-kanjō, onegai shimasu.

VOUS POUVEZ ENTENDRE...

Pour quelle heure ?
何時ですか。
nan-ji desu ka?

Est-ce que vous avez choisi ?
ご注文はお決まりですか。
go-chūmon wa o-kimari desu ka?

Pour combien de personnes ?
何名様ですか。
nan-mē-sama desu ka?

Je vous conseille...
…がお薦めです。
...ga o-susume desu.

Est-ce que vous désirez quelque chose à boire ?
お飲み物はいかがですか。
o-nomimono wa ikaga desu ka?

Les plats du jour sont...
本日のお薦めは…です。
honjitsu no o-susume wa ...desu.

VOCABULAIRE

le bar バー bā	les plats du jour 今日のお薦め kyō no o-susume	végétarien ベジタリアン用 bejitarian-yō
le café 喫茶店 kissaten	le menu セット setto	végétalien ビーガン用 biigan-yō
le bistrot 居酒屋 izakaya	le service サービス sābisu	réserver une table 席を予約する seki o yoyaku suru
le restaurant レストラン resutoran	le pourboire チップ chippu	commander 注文する chūmon suru

LE SAVIEZ-VOUS ?

Un 居酒屋 (izakaya) va plutôt servir du saké 酒, de la bière blonde japonaise, des spiritueux japonais (焼酎 shōchū), des boissons sans alcool et des petits plats à un prix raisonnable, tandis que les bars serviront uniquement des boissons alcoolisées, comme des bières, des cocktails et des spiritueux.

l'addition
お勘定
o-kanjō

l'assiette
皿
sara

les baguettes
箸
hashi

le bol à riz
茶碗
chawan

le bol à soupe miso
おわん
o-wan

la carte
メニュー
menyū

le cendrier
灰皿
haizara

la chaise
椅子
isu

la chope
ジョッキ
jokki

la coupe et le pichet à saké
おちょことっくり
o-choko to tokkuri

le coussin de sol
座布団
zabuton

le couteau et la fourchette
ナイフとフォーク
naifu to fōku

la cuillère
スプーン
supūn

les cure-dents
つまようじ
tsumayōji

le repose-baguettes
箸置き
hashi-oki

la sauce soja
醤油
shōyu

le sel et le poivre
塩とこしょう
shio to koshō

le serveur / la serveuse
ウェイター/
ウェイトレス
weitā/weitoresu

la serviette humide
おしぼり
o-shibori

la table
テーブル
tēburu

la table basse
座卓
zataku

la tasse japonaise
湯呑茶碗
yunomijawan

le verre
ガラスコップ
garasu-koppu

le verre à vin
ワイングラス
wain-gurasu

On trouve facilement des hamburgers et d'autres plats américains dans tout le Japon et plusieurs chaînes de fast-food sont populaires.

VOUS POUVEZ DIRE...

Je voudrais commander, s'il vous plaît.
注文おねがいします。
chūmon onegai shimasu.

Est-ce que vous faites les livraisons ?
配達してもらえますか。
haitatsu shite moraemasu ka?

VOUS POUVEZ ENTENDRE...

Sur place ou à emporter ?
お召し上がりですか。お持ち帰りですか。
o-meshiagari desu ka? o-mochikaeri desu ka?

Ce sera tout ?
他にご注文は？
hoka ni go-chūmon wa?

VOCABULAIRE

le stand de fast-food
屋台
yatai

le vendeur / la vendeuse
売り子
uriko

le drive
ドライブスルー
doraibusurū

le plat à emporter
持ち帰り
mochikaeri

commander
注文する
chūmon suru

livrer
配達する
haitatsu suru

LE SAVIEZ-VOUS ?

La restauration rapide japonaise plus traditionnelle va d'un bol rapide de nouilles à des sushis, en passant par des nouilles instantanées achetées dans les supérettes.

la boulette de riz aux algues
おにぎり
onigiri

la brochette de poulet
焼き鳥
yakitori

le distributeur
自動販売機
jidōhanbaiki

133

les frites
フライドポテト
furaido-poteto

le hamburger
ハンバーガー
hanbāgā

le hot dog
ホットドッグ
hottodoggu

le panier-repas bento
（お）弁当
(o)bentō

la pâte farcie cuite à la
vapeur
肉まん
nikuman

le pot-au-feu japonais
おでん
oden

les raviolis de pieuvre
たこやき
takoyaki

le rouleau maki
巻きずし
maki-zushi

le sandwich
サンドイッチ
sandoitchi

le sandwich grillé
ホットサンド
hotto sando

le sushi
すし
sushi

le tofu frit avec des
boulettes de riz
いなりずし
inari-zushi

134

La technologie est devenue très importante dans notre vie de tous les jours. Un simple clic, toucher ou glissement nous permet de rester en contact avec nos proches, de nous tenir au courant des actualités ou de trouver les informations dont nous avons besoin.

VOUS POUVEZ DIRE / ENTENDRE...

Je vous appelle plus tard.
後で電話します。
ato de denwa shimasu.

Je vous envoie un e-mail.
メールを送りますね。
mēru o okurimasu ne.

Je peux vous rappeler ?
後で、かけ直してもいいですか。
ato de kakenaoshite mo ii desu ka?

Je n'ai pas de réseau.
圏外です。
kengai desu.

Quel est votre numéro de téléphone ?
電話番号は何ですか。
denwa bangō wa nan desu ka?

L'adresse du site est...
ホームページアドレスは…です。
hōmupēji adoresu wa ...desu.

Quel est le mot de passe pour le wifi ?
Wifi のパスワードは何ですか。
waifai no pasuwādo wa nan desu ka?

C'est en un seul mot.
ひと続きです。
hitotsuzuki desu.

VOCABULAIRE

les réseaux sociaux
ソーシャルメディア
sōsharu media

l'application
アプリ
apuri

Internet
インターネット
intānetto

l'e-mail
メール
mēru

l'adresse e-mail
メールアドレス
mēru adoresu

le wifi
Wifi
waifai

le site Internet
(ウェブ)サイト
(webu)saito

le lien
リンク
rinku

l'icône
アイコン
aikon

l'écran tactile
タッチスクリーン
tatchisukuriin

le téléphone portable
携帯（電話）
kētai (denwa)

passer un appel
電話をかける
denwa o kakeru

la souris
マウス
mausu

le téléphone fixe
固定電話
kotē denwa

recharger un téléphone
携帯を充電する
kētai o jūden suru

le clavier
キーボード
kiibōdo

la batterie
バッテリー
batterii

envoyer un e-mail
メールを送る
mēru o okuru

l'écran
モニター
monitā

le signal de téléphonie mobile
モバイルネットワーク
mobairu nettowāku

télécharger (vers son ordinateur / vers Internet)
ダウンロードする/
アップロードする
daunrōdo suru/
appurōdo suru

les données
データ
dēta

le message vocal
音声メール
onsē-mēru

se connecter /
se déconnecter
ログイン／オフする
rogu in/ofu suru

LE SAVIEZ-VOUS ?

Il n'existe pas de téléphones prépayés au Japon et les contrats sont seulement accessibles aux résidents du pays. Les SMS ne sont pas utilisés : à la place, les téléphones portables ont des adresses e-mail dédiées.

la batterie externe
モバイルパワーパック
mobairu pawāpakku

la carte SIM
SIM カード
shimu kādo

le chargeur
チャージャー／
充電器
chājā/jūdenki

la coque de téléphone
携帯カバー
kētai kabā

l'ordinateur
コンピューター
konpyūtā

l'oreillette Bluetooth®
ブルートゥース™ヘ
ッドセット
burūtūsu heddosetto

le routeur sans fil
無線ルーター
musen rūtā

le smartphone
スマートフォン
sumātofon

la tablette
タブレット
taburetto

le tapis de souris
マウスパッド
mausu paddo

Le système scolaire japonais est basé sur le système américain : l'école primaire de 6 à 12 ans, le collège de 12 à 15 ans et le lycée de 15 à 18 ans, suivi par un diplôme universitaire en quatre ans ou deux ans en établissement d'enseignement supérieur ou en école professionnelle. Les crèches et les écoles maternelles accueillent les enfants en bas âge.

VOUS POUVEZ DIRE...

Qu'est-ce que tu étudies ?
何を勉強していますか。
nani o benkyō shite imasu ka?

Tu es en quelle classe ?
何年生ですか。
nan-nensē desu ka?

Quelle est ta matière préférée ?
好きな科目は何ですか。
suki-na kamoku wa nan desu ka?

VOUS POUVEZ ENTENDRE...

J'étudie...
…を勉強しています。
...o benkyō shite imasu.

Je suis en deuxième année à l'université.
大学2年生です。
daigaku ni-nensē desu.

J'aime bien...
…が大好きです。
...ga dai-suki desu.

VOCABULAIRE

l'école maternelle
保育園
hoikuen

l'école primaire
小学校
shōgakkō

le collège
中学校
chūgakkō

le lycée
高校
kōkō

l'établissement d'enseignement supérieur
短大
tandai

l'université
大学
daigaku

le directeur / la directrice
校長
kōchō

le professeur / la professeure
教師/先生
kyōshi/sensē

l'élève
生徒
sēto

l'emploi du temps
時間割
jikanwari

le cours
授業
jugyō

le cours magistral
講義
kōgi

les devoirs
宿題
shukudai

l'examen
試験
shiken

le diplôme
学位
gakui

l'étudiant / l'étudiante
de premier cycle
学部学生
gakubu-gakusē

l'étudiant / l'étudiante
de troisième cycle
大学院生
daigakuinsē

la salle de classe
教室
kyōshitsu

la salle de réunion
講堂
kōdō

le terrain de sport
校庭
kōtē

la résidence
universitaire
大学寮
daigakuryō

l'association
d'étudiants
学生自治会
gakusē-jichikai

la carte d'étudiant
学生証
gakusēshō

l'étudiant étranger
留学生
ryūgakusē

apprendre
学ぶ
manabu

enseigner
教える
oshieru

réviser
復習する
fukushū suru

passer un examen
試験を受ける
shiken o ukeru

obtenir son diplôme
卒業する
sotsugyō suru

étudier
勉強する
benkyō suru

L'ÉCOLE

le boulier japonais
そろばん
soroban

le cahier
ノート
nōto

la calculatrice
計算機
kēsan ki

le cartable
ランドセル
randoseru

les ciseaux
はさみ
hasami

le classeur
バインダー
baindā

le crayon à papier
鉛筆
enpitsu

les crayons de couleur
色鉛筆
iro-enpitsu

la gomme
消しゴム
keshigomu

le manuel
教科書
kyōkasho

le papier
紙
kami

la perforatrice
穴あけパンチ
ana-ake-panchi

le porte-mine
シャープペン
shāpupen

la règle
物差し
monosashi

la sacoche
学生かばん
gakusē-kaban

le stylo
ボールペン
bōrupen

le surligneur
蛍光ペン
kēkō-pen

le tableau blanc
ホワイトボード
howaitobōdo

le tableau noir
黒板
kokuban

le taille-crayon
鉛筆削り
enpitsu kezuri

la trousse
ペンケース
pen-kēsu

L'ENSEIGNEMENT SUPÉRIEUR

l'amphithéâtre
階段教室
kaidan-kyōshitsu

la bibliothèque
図書館
toshokan

la cafétéria
学食
gakushoku

le campus
キャンパス
kyanpasu

l'étudiant / l'étudiante
学生
gakusē

le maître de conférence
講師
kōshi

Les horaires de bureau vont généralement de 9 heures à 17 heures 30, du lundi au vendredi, mais effectuer de nombreuses heures supplémentaires est la norme dans beaucoup d'entreprises. Les Japonais ont moins de jours de congé qu'en France et beaucoup ne les prennent pas tous. Cependant, il est normal de prendre une heure de pause déjeuner entre midi et 13 heures.

VOUS POUVEZ DIRE / ENTENDRE...

On peut organiser une réunion ?
打ち合わせをしましょうか。
uchiawase o shimashō ka?

J'ai rendez-vous avec...
…さんと待ち合わせがあります。
…san to machiawase ga arimasu.

Vous êtes disponible cet après-midi ?
午後、時間がありますか。
gogo, jikan ga arimasu ka?

Je vous envoie les documents par e-mail.
ファイルをメールで送ります。
fairu o mēru de okurimasu.

Est-ce que je peux parler à... ?
…とお話ができますか。
…to o-hanashi ga dekimasu ka?

Voici ma carte de visite.
私の名刺です。
watashi no mēshi desu.

Pouvez-vous m'envoyer... ?
…を送ってください。
…o okutte kudasai.

C'est de la part de qui ?
どちら様でしょうか。
dochira-sama deshō ka?

VOCABULAIRE

le manager / la manager	le client / la cliente	la comptabilité
主任	顧客	会計
shunin	kokyaku	kaikē

le personnel	le fournisseur	les chiffres
スタッフ	納入業者	数字
sutaffu	nōnyūgyōsha	sūji

le collègue / la collègue	les ressources humaines	la feuille de calcul
同僚	人事部	スプレッドシート
dōryō	jinji-bu	supureddoshiito

la présentation
プレゼン
purezen

le rapport
報告
hōkoku

la réunion
会議
kaigi

la conférence
téléphonique
電話会議
denwa-kaigi

la visioconférence
テレビ会議
terebi-kaigi

le fichier
ファイル
fairu

la pièce jointe
添付ファイル
tenpu-fairu

la boîte de réception
受信トレイ
jushin-torei

le nom d'utilisateur
ユーザー名
yūzāmē

le mot de passe
パスワード
pasuwādo

sans fil
ワイヤレス
waiyaresu

taper
タイプする
taipu suru

faire une présentation
プレゼンをする
purezen o suru

tenir une réunion
会議を持つ
kaigi o motsu

appeler par Skype®
スカイプ®をする
sukaipu o suru

l'agrafeuse
ホチキス™
hochikisu

le bloc-notes
メモ帳
memochō

le bureau
机
tsukue

la cartouche d'encre
インクカートリッジ
inku kātoridji

la chaise de bureau
回転いす
kaiten-isu

le classeur (à tiroirs)
ファイリングキャビ
ネット
fairingu kyabinetto

la clé USB
USBメモリ
yū-esu-bii memori

la corbeille à courrier
決裁箱
kessaibako

l'imprimante
プリンター
purintā

la lampe de bureau
電気スタンド
denki-sutando

l'ordinateur portable
ノートパソコン／ラ
ップトップ
nōto pasokon/rapputoppu

la photocopieuse
コピー機
kopiiki

la pochette
フォルダー
forudā

les post-it®
付箋
fusen

le ruban adhésif
セロテープ™
serotēpu

le scanner
スキャナー
sukyanā

le téléphone
電話
denwa

le trombone
ゼムクリップ
zemukurippu

Les transactions en argent liquide sont encore la norme au Japon, mais la plupart des grands magasins, des hôtels et des restaurants acceptent les cartes bancaires. Certains distributeurs de billets permettent le retrait d'argent avec la plupart des cartes de paiement ou de crédit étrangères : vérifiez que le distributeur propose un « service de retrait international » (« International ATM Service »).

VOUS POUVEZ DIRE...

Je voudrais...
…たいんですが。
…tai n desu ga.

... ouvrir un compte.
銀行口座を開き…
ginkō-kōza o hiraki...

... m'inscrire aux services bancaires en ligne.
インターネットバンキングの登録がし…
intānetto-bankingu no tōroku ga shi...

Est-ce que ce service est payant ?
手数料がかかりますか。
tesūryō ga kakarimasu ka?

Je dois résilier ma carte de paiement / de crédit.
デビット／クレジットカードをキャンセルしなければなりません。
debitto/kurejitto kādo o kyanseru shinakereba narimasen.

Je voudrais changer 100 euros.
100ユーロ、両替したいんですが。
hyaku-yūro, ryōgae shitai n desu ga.

VOUS POUVEZ ENTENDRE...

Votre pièce d'identité, s'il vous plaît.
身分証明書を見せていただけますか。
mibun-shōmēsho o misete itadakemasu ka?

Combien voulez-vous retirer / déposer ?
いくらお引出し／お預けになりますか。
ikura o-hikidashi/o-azuke ni narimasu ka?

Pouvez-vous taper votre code ?
暗証番号をご入力ください。
anshō-bangō o go-nyūryoku kudasai.

Vous devez remplir un formulaire.
申し込み用紙にご記入ください。
mōshikomi-yōshi ni go-kinyū kudasai.

145

l'agence
支店
shiten

le numéro de compte
口座番号
kōzabangō

le virement
銀行振込
ginkō furikomi

les services bancaires
en ligne
インターネットバン
キング
intānetto-bankingu

le solde bancaire
銀行預金残高
ginkō-yokin zandaka

la devise
通貨
tsūka

le compte bancaire
銀行口座
ginkō kōza

le découvert
当座貸越
tōza kashikoshi

emprunter
借りる
kariru

le compte courant /
épargne
当座預金/普通預金
tōzayokin/futsūyokin

l'intérêt
利子
rishi

retirer
お金をおろす
o-kane o orosu

les billets
紙幣
shihē

le bureau de change
両替所
ryōgaejo

la carte de paiement /
de crédit
デビット／クレジッ
トカード
debitto/kurejitto kādo

le distributeur de billets
ATM
ē-tii-emu

le livret d'épargne
貯金通帳
chokin tsūchō

le taux de change
両替率
ryōgaeritsu

Les bureaux de poste sont généralement ouverts de 9 heures à 17 heures, du lundi au vendredi. Certains d'entre eux sont ouverts jusqu'à 19 heures et le week-end dans les grandes villes.

VOUS POUVEZ DIRE...

Je voudrais envoyer ceci par avion / bateau.
これを航空便／船便で送りたいんですが。
kore o kōkūbin/funabin de okuritai n desu ga.

Est-ce que je peux avoir une preuve de dépôt ?
書留にしてくださいますか。
kakitome ni shite kudasai masu ka?

Ça va mettre combien de temps à arriver ?
届くのにどのぐらいかかりますか。
todoku no ni dono gurai kakarimasu ka?

Je voudrais acheter... timbres, s'il vous plaît.
切手を…枚ください。
kitte o ...mai kudasai.

VOUS POUVEZ ENTENDRE...

Posez-le sur la balance, s'il vous plaît.
はかりに載せてください。
hakari ni nosete kudasai.

Qu'est-ce qu'il y a à l'intérieur ?
中身は何ですか。
nakami wa nan desu ka?

Voulez-vous une preuve de dépôt ?
書留にしますか。
kakitome ni shimasu ka?

Vous avez besoin de combien de timbres ?
切手は何枚でしょうか。
kitte wa nan-mai deshō ka?

Veuillez remplir ce formulaire.
この用紙に記入してください。
kono yōshi ni kinyū shite kudasai.

LE SAVIEZ-VOUS ?

Vous pouvez retirer de l'argent avec votre carte de paiement ou de crédit étrangère aux distributeurs de billets des bureaux de poste. La limite de retrait pour une seule opération est de 50 000 yens.

VOCABULAIRE

l'adresse
住所
jūsho

le code postal
郵便番号
yūbin-bangō

le coursier / la coursière
宅配業者
takuhai gyōsha

le courrier
郵便
yūbin

la livraison express
速達
sokutatsu

recevoir du courrier
郵便を受け取る
yūbin o uketoru

l'expédition par bateau
船便
funabin

poster
投函する
tōkan suru

rendre un colis
小包を送り返す
kozutsumi o okurikaesu

la poste aérienne
航空便
kōkūbin

envoyer
送る
okuru

livrer
配達する
haitatsu suru

la boîte aux lettres
郵便ポスト
yūbin posuto

la carte postale
絵葉書
e-hagaki

le carton
段ボール箱
danbōrubako

le colis
小包
kozutsumi

l'enveloppe
封筒
fūtō

l'enveloppe à bulles
クッション封筒
kusshon-fūtō

la lettre
手紙
tegami

le postier / la postière
郵便局員
yūbinkyokuin

le timbre
切手
kitte

VOUS POUVEZ DIRE...

Comment est-ce que je peux aller au centre-ville ?
どうやって町の中心に行けますか。
dō yatte machi no chūshin ni ikemasu ka?

Je voudrais visiter...
…に行きたいです。
…ni ikitai desu.

Je dois aller à...
…に行かなければいけません。
…ni ikanakereba ikemasen.

Quels sont les horaires d'ouverture ?
営業時間は何時から何時までですか。
ēgyō jikan wa nan-ji kara nan-ji made desu ka?

VOUS POUVEZ ENTENDRE...

C'est ouvert de... à...
…時から…時まで開いています。
… ji kara …ji made aite imasu.

C'est fermé le lundi.
月曜日は休みです。
getsuyōbi wa yasumi desu.

l'aire de jeux
遊び場
asobiba

le café
喫茶店
kissaten

la caserne de pompiers
消防署
shōbōsho

le commissariat
警察署
kēsatsusho

l'église
教会
kyōkai

l'hôpital
病院
byōin

l'hôtel
ホテル
hoteru

l'hôtel de ville
市役所
shiyakusho

l'immeuble de bureaux
オフィスビル
ofisu-biru

la laverie
コインランドリー
koin-randorii

la médiathèque
図書館
toshokan

la mosquée
モスク
mosuku

le palais des congrès
会議場
kaigijō

le parc
公園
kōen

le poste de police de proximité
交番
kōban

le sanctuaire shinto
神社
jinja

le temple bouddhiste
お寺
o-tera

le tribunal
裁判所
saibansho

LES LOISIRS | 余暇

Excursions d'une journée, vacances, soirées festives ou même journées canapé... nous aimons tous passer notre temps libre de manières différentes. C'est également un sujet de conversation populaire entre amis ou collègues : qui n'aime pas parler de ses vacances, de ses passe-temps ou de ses sorties ?

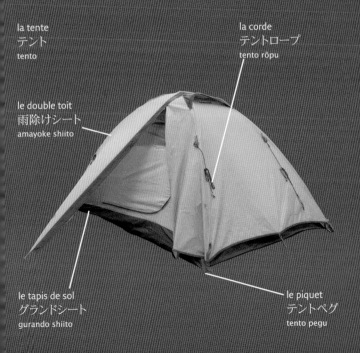

la tente
テント
tento

la corde
テントロープ
tento rōpu

le double toit
雨除けシート
amayoke shiito

le tapis de sol
グランドシート
gurando shiito

le piquet
テントペグ
tento pegu

VOUS POUVEZ DIRE...

Qu'est-ce que vous avez envie de faire ?
何がしたいですか。
nani ga shitai desu ka?

Que faites-vous pendant votre temps libre ?
暇な時、何をしますか。
hima-na toki nani o shimasu ka?

Est-ce que vous avez des passe-temps ?
趣味はありますか。
shumi wa arimasu ka?

Est-ce que vous aimez... ?
…が好きですか。
...ga suki desu ka?

Êtes-vous sportif / musicien ?
スポーツ／音楽が得意ですか。
supōtsu/ongaku ga tokui desu ka?

Vous partez en vacances cette année ?
今年、どこかに休暇で行きますか。
kotoshi, dokoka ni kyūka de ikimasu ka?

VOUS POUVEZ ENTENDRE...

Mes passe-temps sont...
趣味は…です。
shumi wa ...desu.

J'aime...
…が好きです。
.. ga suki desu.

J'aime beaucoup cela.
とても好きです。
totemo suki desu.

Ça ne m'intéresse pas.
興味がありません。
kyōmi ga arimasen.

Je suis / Je ne suis pas sportif / musicien.
スポーツ／音楽が得意です／じゃありません。
supōtsu/ongaku ga tokui desu/ja arimasen.

J'ai / Je n'ai pas beaucoup de temps libre.
時間がたくさんあります／あまりありません。
jikan ga takusan arimasu/amari arimasen.

VOCABULAIRE

le temps libre
余暇
yoka

le passe-temps
趣味
shumi

se détendre
くつろぐ
kutsurogu

l'activité
活動
katsudō

s'intéresser à
…に興味がある
...ni kyōmi ga aru

apprécier
楽しむ
tanoshimu

le bricolage
日曜大工
nichiyō-daiku

la cuisine
料理
ryōri

écouter de la musique
音楽を聞く
ongaku o kiku

le jardinage
ガーデニング
gādeningu

les jeux vidéo
ビデオゲーム
bideo gēmu

le jogging
ジョギング
jogingu

la lecture
読書
dokusho

la marche à pied
ウォーキング
wōkingu

regarder la télévision /
des films
テレビ/映画を見る
terebi/ēga o miru

le shopping
買い物
kaimono

le sport
スポーツ
supōtsu

les voyages
旅行
ryokō

153

Villes modernes animées, anciennes capitales remplies de temples et de sanctuaires, montagnes, côtes et îles : le Japon en a pour tous les goûts !

VOUS POUVEZ DIRE...

Combien coûte l'entrée ?
入場料はいくらですか。
nyūjōryō wa ikura desu ka?

Est-ce qu'il y a un tarif réduit pour les étudiants / les seniors ?
学生／シニア割引はあります
か。
gakusē/shinia waribiki wa arimasu ka?

Est-ce qu'il y a des circuits touristiques ?
観光ツアーはありますか。
kankō tsuā wa arimasu ka?

Est-ce que vous avez des audioguides ?
音声ガイドはありますか。
onsē-gaido wa arimasu ka?

VOUS POUVEZ ENTENDRE...

L'entrée est à...
入場料は…円です。
nyūjōryō wa ...en desu.

Il y a / Il n'y a pas de tarif réduit.
割引があります／ありません。
waribiki ga arimasu/arimasen.

Vous pouvez réserver une visite guidée.
ガイドツアーの予約ができます。
gaido tsuā no yoyaku ga dekimasu.

Nous avons / n'avons pas d'audioguides.
音声ガイドがあります／ありません。
onsē-gaido ga arimasu/arimasen.

VOCABULAIRE

le touriste / la touriste
観光客
kankōkyaku

le site historique
史跡
shiseki

l'excursion
小旅行
shōryokō

l'attraction touristique
観光スポット
kankō supotto

les vacances
休暇
kyūka

visiter
訪ねる
tazuneru

LE SAVIEZ-VOUS ?

Certains sites culturels et historiques sont fermés le lundi ou le mardi.

le bus touristique
観光バス
kankō basu

la cathédrale
大聖堂
daisēdō

le château
城
shiro

la galerie d'art
美術館
bijutsukan

le guide de voyage
ガイドブック
gaido-bukku

le guide touristique /
la guide touristique
観光ガイド
kankō gaido

le jardin public
庭園
tēen

le musée
博物館
hakubutsukan

l'office de tourisme
観光案内所
kankō annaijo

le plan
地図
chizu

le sanctuaire shinto
神社
jinja

le temple bouddhiste
お寺
o-tera

Le Japon propose de nombreux types de divertissements, du théâtre traditionnel japonais aux films d'animation qu'on appelle « animés » (アニメ anime), en passant par le cosplay.

VOUS POUVEZ DIRE...

Qu'est-ce qu'il y a au cinéma / théâtre ?
映画館／劇場で何をやっていますか。
ēgakan/gekijō de nani o yatte imasu ka?

Vous voulez aller boire un verre ?
飲みに行きませんか。
nomi ni ikimasen ka?

Vous voulez aller voir un film / du kabuki ?
映画／歌舞伎を見に行きませんか。
ēga/kabuki o mi ni ikimasen ka?

Est-ce que vous avez des billets pour... ?
…のチケットはありますか。
...no chiketto wa arimasu ka?

Deux places standard / première classe, s'il vous plaît.
2等／1等席を2枚、お願いします。
nitō/ittō seki o ni-mai, onegai shimasu.

Ça commence à quelle heure ?
何時に始まりますか。
nan-ji ni hajimarimasu ka?

VOUS POUVEZ ENTENDRE...

Il y a un film que j'aimerais voir.
見たい映画があります。
mitai ēga ga arimasu.

Vous pouvez acheter des billets à la supérette.
チケットはコンビニで買えますよ。
chiketto wa konbini de kaemasu yo.

Il n'y a plus de billets.
チケットは売り切れました。
chiketto wa urikiremashita.

Ça commence à 19 heures.
7時に始まります。
shichi-ji ni hajimarimasu.

Veuillez éteindre vos téléphones portables.
携帯の電源をお切りください。
kētai no dengen o o-kiri kudasai.

VOCABULAIRE

un verre
飲み物
nomimono

la vie nocturne
ナイトライフ
naitoraifu

la fête
パーティー
pātii

le spectacle
ショー
shō

le film
映画
ēga

le festival
フェスティバル
fesutibaru

la billetterie
切符売場
kippu uriba

voir des gens
交流する
kōryū suru

commander à manger /
boire
食べ物／飲みもの
を注文する
tabemono/nomimono o
chūmon suru

voir un spectacle
ショーを見る
shō o miru

regarder un film
映画を見る
ēga o miru

aller danser
踊りに行く
odori ni iku

s'amuser
楽しむ
tanoshimu

LE SAVIEZ-VOUS ?

Les geishas emblématiques aperçues dans les spectacles touristiques et les vieux quartiers de Kyoto sont en fait très probablement des apprenties geishas (舞子 maiko).

l'apprentie geisha
舞子
maiko

le bar
バー
bā

le cinéma
映画館
ēgakan

la comédie musicale
コメディミュージカル
komedi mūjikaru

le concert
コンサート
konsāto

le cosplay
コスプレ
kosupure

le festival traditionnel
（お）祭り
(o-)matsuri

la fête foraine
遊園地
yūenchi

l'animé
アニメ
anime

le karaoké
カラオケ
karaoke

le spectacle de
marionnettes bunraku
文楽
bunraku

le spectacle
humoristique
落語
rakugo

le théâtre
劇場
gekijō

le théâtre kabuki
歌舞伎
kabuki

le théâtre nô
能
nō

Le Japon possède une vaste gamme d'hébergements, allant des hôtels de luxe à l'occidentale aux hôtels capsule minimalistes. Les pensions de famille japonaises (民宿 minshuku) ou les chambres d'hôtes sont une alternative moins chère que les auberges traditionnelles (旅館 ryokan). Il est également possible, et populaire, de loger dans un temple ou un sanctuaire (宿坊 shukubō). Les locations de vacances incluent des appartements dans une ウィークリーマンション (wiikurii manshon) ou une cohabitation dans des foyers bon marché et des pensions pour étrangers.

VOUS POUVEZ DIRE...

Est-ce que vous avez des chambres libres ?
空いている部屋はありますか。
aiteiru heya wa arimasu ka?

Quel est le tarif pour une nuit ?
1泊いくらですか。
ippaku ikura desu ka?

Est-ce que le petit-déjeuner est inclus ?
朝ご飯付きですか。
asagohan–tsuki desu ka?

Je voudrais prendre / quitter ma chambre, s'il vous plaît.
チェックイン／チェックアウトをお願いします。
chekku-in/chekku-auto o onegai shimasu.

À quelle heure dois-je quitter la chambre ?
チェックアウトは何時ですか。
chekku-auto wa nan-ji desu ka?

À quelle heure le petit-déjeuner est-il servi ?
朝ご飯は何時ですか。
asagohan wa nan-ji desu ka?

J'ai une réservation.
予約してあります。
yoyaku shite arimasu.

Je voudrais réserver une chambre individuelle / double, s'il vous plaît.
シングル／ダブルルームを予約したいんですが。
shinguru/daburu rūmu o yoyaku shitai n desu ga.

J'ai besoin de serviettes propres / de savon dans ma chambre.
新しいタオル／せっけんをお願いします。
atarashii taoru/sekken o onegai shimasu.

J'ai perdu la clé.
鍵を失くしました。
kagi o nakushimashita.

À qui est-ce que je peux faire une réclamation ?
苦情は誰に言ったらいいですか。
kujō wa dare ni ittara ii desu ka?

VOUS POUVEZ ENTENDRE...

Nous avons / n'avons pas de chambres disponibles.
利用可能な部屋があります／ありません。
riyō kanōna heya ga arimasu/arimasen.

Nos tarifs sont...
料金は…円です。
ryōkin wa …en desu.

Le petit-déjeuner est / n'est pas inclus.
朝食付きです／じゃありません。
chōshoku-tsuki desu/ja arimasen.

Le petit-déjeuner est servi à...
朝食は…時からです。
chōshoku wa …ji kara desu.

Pouvez-vous me donner votre numéro de chambre ?
お部屋番号をいただけますか。
o-heya bangō o itadakemasu ka?

Votre pièce d'identité, s'il vous plaît.
身分証明書をお願いします。
mibun shōmēsho o onegaishimasu.

La chambre sera disponible à partir de...
…時からチェックインできます。
…ji kara chekku-in dekimasu.

Vous devez partir avant...
…時までにチェックアウトしてください。
…ji made ni chekku-auto shite kudasai.

VOCABULAIRE

la chambre d'hôtes
ゲストルーム
gesuto rūmu

la pension de famille japonaise
民宿
minshuku

la location de courte durée
ウィークリーマンション
wiikurii manshon

la pension complète / la demi-pension
3食付き／2食付き
san-shoku tsuki/ni-shoku tsuki

par personne et par nuit
1人1泊
hitori ippaku

le réceptionniste / la réceptionniste
受付の人
uketsuke no hito

le room service
ルームサービス
rūmu sābisu

le réveil par téléphone
モーニングコール
mōningu kōru

le numéro de chambre
部屋番号
heya bangō

l'auberge japonaise
旅館
ryokan

la carte magnétique
カードキー
kādo kii

la chambre à deux lits
ツインルーム
tsuin rūmu

la chambre double
ダブルルーム
daburu rūmu

la chambre individuelle
シングルルーム
shinguru rūmu

le coffre-fort
金庫
kinko

le couloir
廊下
rōka

le foyer
ホステル
hosuteru

l'hôtel capsule
カプセルホテル
kapuseru hoteru

le minibar
ミニバー
mini-bā

les produits de toilette
アメニティグッズ
ameniti guzzu

la réception
受付
uketsuke

Une escapade aux sources thermales (温泉 onsen), que ce soit pour la nuit ou seulement quelques heures, est un excellent moyen de se détendre. Comme la plupart des maisons ont désormais leur propre salle de bain, il y a de moins en moins de bains publics traditionnels sans eau thermale, même si de nouveaux bains avec des équipements supplémentaires voient le jour.

VOUS POUVEZ DIRE...

Combien coûte l'entrée ?
入湯料はいくらですか。
nyūtōryō wa ikura desu ka?

J'aimerais réserver un bain privatif.
貸切風呂を予約したいんですが。
kashikiri-buro o yoyaku shitai n desu ga.

Ce bain est-il réservé aux hommes / réservé aux femmes / mixte ?
お風呂は男性専用／女性専用／混浴ですか。
o-furo wa dansē-sen'yō/josē-sen'yō/kon'yoku desu ka?

Est-ce que les serviettes sont fournies ?
タオルはついていますか。
taoru wa tsuite imasu ka?

Est-ce qu'il y a des casiers ?
ロッカーがありますか。
rokkā ga arimasu ka?

C'est chaud !
熱い!
atsui!

VOUS POUVEZ ENTENDRE...

L'entrée coûte... yens.
入湯料は…円です。
nyūtōryō wa ...en desu.

Vous pouvez avoir un bain privatif de... à...
…から…まで貸切りで使えます。
...kara ...made kashikiri de tsukaemasu.

Merci de ne pas porter de maillot de bain.
水着を着ないでください。
mizugi o kinaide kudasai.

Merci de vous laver avant d'entrer dans le bain.
お風呂に入る前に体を洗ってください。
o-furo ni hairu mae ni karada o aratte kudasai.

Merci de ne pas mettre les serviettes dans l'eau.
タオルをお湯の中に入れないでください。
taoru o o-yu no naka ni irenaide kudasai.

les bains publics 銭湯 sentō	l'utilisation privée 貸切風呂 kashikiri-buro	le vestiaire 脱衣所 datsuijo
réservé aux hommes 男性専用／男湯 dansē-sen'yō/otoko-yu	l'eau chaude お湯 o-yu	le casier ロッカー rokkā
réservé aux femmes 女性専用／女湯 josē-sen'yō/onna-yu	l'eau froide 水 mizu	la serviette タオル taoru
le bain mixte 混浴 kon'yoku	le bain intérieur 内風呂 uchi-buro	le bol / le seau de lavage 洗面器 senmenki

LE SAVIEZ-VOUS ?

Certains bains refusent encore l'entrée aux personnes tatouées, même si les habitudes sont en train de changer.

le bain extérieur
露天風呂
roten-buro

le kimono en coton
浴衣
yukata

le pédiluve
足湯
ashi-yu

le rideau d'entrée
のれん
noren

la source thermale
温泉
onsen

le tabouret de bain
風呂イス
furo-isu

Le camping est une activité populaire au Japon et les emplacements sont généralement bien équipés, avec parfois même des tentes déjà montées ou des chalets. Il est recommandé de réserver pendant les périodes d'affluence.

VOUS POUVEZ DIRE...

Est-ce que vous avez des emplacements libres ?
空きがありますか。
aki ga arimasu ka?

Je voudrais réserver pour... nuits.
…泊したいんですが。
...haku/paku shitai n desu ga.

Quel est le tarif pour une nuit ?
1泊いくらですか。
ippaku ikura desu ka?

VOUS POUVEZ ENTENDRE...

Nous avons / n'avons pas d'emplacements libres.
空きがあります／ありません。
aki ga arimasu/arimasen.

C'est... par nuit.
1泊…円です。
ippaku ...en desu.

VOCABULAIRE

le bloc sanitaire
トイレ
toire

le camping
キャンプ場
kyanpujō

monter une tente
テントを張る
tento o haru

les douches
シャワー施設
shawā shisetsu

camper
キャンプする
kyanpu suru

démonter une tente
テントをたたむ
tento o tatamu

la lampe torche
懐中電灯
kaichū–dentō

le sac de couchage
寝袋
nebukuro

la tente
テント
tento

Les activités balnéaires sont de plus en plus populaires, mais presque exclusivement en été. Dans la plupart des régions, la surveillance des plages s'arrête le 1er septembre. Les équipements ferment et les plages se vident généralement à la même date, peu importe la météo.

VOUS POUVEZ DIRE...

Est-ce que la baignade est autorisée ici ?
ここで泳いでもいいですか。
koko de oyoide mo ii desu ka?

Est-ce qu'on peut louer... ?
…を借りられますか。
...o kariraremasu ka?

Est-ce qu'on peut surfer ici ?
ここでサーフィンができますか。
koko de sāfin ga dekimasu ka?

Quelqu'un se noie ! À l'aide !
人がおぼれています。助けてください！
hito ga oborete imasu. tasukete kudasai!

VOUS POUVEZ ENTENDRE...

La baignade est autorisée / interdite.
泳いでもいいです／水泳禁止です。
oyoide mo ii desu/suiē kinshi desu.

Vous pouvez / ne pouvez pas surfer ici.
ここでサーフィンができます／できません。
koko de sāfin ga dekimasu/dekimasen.

Il n'y a pas de sauveteur sur place.
監視員はいません。
kanshi-in wa imasen.

Il fait trop froid pour se baigner aujourd'hui.
今日は泳ぐのには寒すぎます。
kyō wa oyogu no ni wa samusugimasu.

VOCABULAIRE

« Baignade interdite »
「水泳禁止」
"suiē kinshi"

la zone de baignade
水泳ゾーン
suiē zōn

le bronzage
日焼け
hiyake

le sable
砂
suna

la mer
海
umi

les vagues
波
nami

la serviette de plage
ビーチタオル
biichi taoru

prendre un bain de soleil
日光浴する
nikkōyoku suru

nager
泳ぐ
oyogu

le ballon de plage
ビーチボール
biichi bōru

le chapeau de soleil
麦わら帽子
mugiwara-bōshi

la crème solaire
日焼け止め
hiyakedome

les lunettes de soleil
サングラス
sangurasu

le maillot de bain
海水パンツ
kaisui pantsu

le (maillot) deux-pièces
ビキニ
bikini

le maillot une-pièce
水着
mizugi

le surveillant de
baignade / la surveillante
de baignade
監視員
kanshi-in

les tongs
ビーチサンダル
biichi sandaru

LA MUSIQUE | 音楽

La musique occidentale est populaire dans le pays, mais les émissions musicales télévisées sont dominées par la J-pop.

VOUS POUVEZ DIRE / ENTENDRE...

J'apprends à jouer du /de la...
…を習っています。
...o naratte imasu.

... est mon groupe préféré.
好きなグループは…です。
suki-na gurūpu wa ...desu.

Quel genre de musique écoutez-vous ?
どんな音楽を聞きますか。
donna ongaku o kikimasu ka?

VOCABULAIRE

la chanson
歌
uta

le CD
CD
shii-dii

l'album
アルバム
arubamu

le vinyle
アナログレコード
anarogu rekōdo

le groupe
グループ
gurūpu

la musique live
ライブ音楽
raibu ongaku

le concert
コンサート
konsāto

le rock
ロック
rokku

le jazz
ジャズ
jazu

la J-pop
J Pop
jē-poppu

le rap
ラップ
rappu

la musique classique
クラシック音楽
kurashikku ongaku

la musique traditionnelle japonaise
民謡
min'yō

jouer d'un instrument
楽器を演奏する
gakki o ensō suru

chanter
歌を歌う
uta o utau

écouter de la musique en streaming
ストリーミングで音楽を聞く
sutoriimingu de ongaku o kiku

aller à des concerts
コンサートに行く
konsāto ni iku

L'ÉQUIPEMENT

la barre de son
サウンドバー
saundobā

le casque
ヘッドホン
heddohon

les écouteurs
イヤホン
iyahon

l'enceinte Bluetooth®
ブルートゥーススピ
ーカー
burūtūsu supiikā

les haut-parleurs
スピーカー
supiikā

la platine
レコードプレーヤー
rekōdo purēyā

LES INSTRUMENTS DE MUSIQUE

l'accordéon
アコーディオン
akōdion

la basse
ベースギター
bēsu gitā

la batterie
ドラム
doramu

la clarinette
クラリネット
kurarinetto

le clavier
キーボード
kiibōdo

la contrebasse
コントラバス
kontorabasu

la flûte traversière
フルート
furūto

la guitare acoustique
アコースティックギ
ター
akōsutikku gitā

la guitare électrique
エレキギター
ereki gitā

l'harmonica
ハーモニカ
hāmonika

la harpe
ハープ
hāpu

le piano
ピアノ
piano

le saxophone
サクソフォン
sakusofon

le trombone
トロンボーン
toronbōn

la trompette
トランペット
toranpetto

le tuba
チューバ
chūba

le violon
バイオリン
baiorin

le violoncelle
チェロ
chero

LES INSTRUMENTS TRADITIONNELS JAPONAIS

la flûte japonaise
尺八
shakuhachi

le koto
琴
koto

le luth japonais
琵琶
biwa

le petit tambour
鼓
tsuzumi

le shamisen
三味線
shamisen

le tambour japonais
太鼓
taiko

GÉNÉRAL

le chanteur /
la chanteuse
歌手
kashu

le chef d'orchestre /
la cheffe d'orchestre
指揮者
shikisha

la chorale
合唱団
gasshōdan

le musicien / la musicienne
音楽家 (ミュージシャン)
ongakuka (myūjishan)

l'orchestre
オーケストラ
ōkesutora

la partition
楽譜
gakufu

VOUS POUVEZ DIRE...

Est-ce que je peux prendre des photos ?
写真を撮ってもいいですか。
shashin o totte mo ii desu ka?

Pouvez-vous me / nous prendre en photo, s'il vous plaît ?
写真を撮ってもらえませんか。
shashin o totte moraemasen ka?

VOUS POUVEZ ENTENDRE...

Les photos sont autorisées / interdites.
写真を撮ってもいいですよ／撮影禁止です。
shashin o totte mo ii desu yo/satsuē-kinshi desu.

Souriez !
はい、チーズ！
hai, chiizu!

VOCABULAIRE

la photo
写真
shashin

la perche à selfie
自撮り棒
jidoribō

le trépied
三脚
sankyaku

le selfie
自撮り
jidori

le drone
ドローン
dorōn

prendre une photo / un selfie
写真を撮る／自撮りする
shashin o toru/jidori suru

LE SAVIEZ-VOUS ?

Les perches à selfie sont interdites dans beaucoup d'endroits pour des raisons de sécurité.

l'appareil photo compact
コンパクトカメラ
konpakuto kamera

l'appareil photo reflex numérique
デジタルカメラ／デジカメ
dejitaru kamera/dejikame

l'objectif
カメラレンズ
kamera renzu

VOUS POUVEZ DIRE...

À quoi est-ce que vous voulez jouer ?
どんなゲームがしたいですか。
donna gēmu ga shitai desu ka?

Quelles sont les règles ?
どんなルールですか。
donna rūru desu ka?

On joue à un jeu ?
ゲームをしませんか。
gēmu o shimasen ka?

VOUS POUVEZ ENTENDRE...

C'est à vous.
…さんの番ですよ。
…san no ban desu yo.

Le temps est écoulé.
時間切れです。
jikangire desu.

On joue à autre chose ?
他のゲームをしましょうか。
hoka no gēmu o shimashō ka?

VOCABULAIRE

le joueur / la joueuse
プレーヤー
purēyā

le jeu en ligne
オンラインゲーム
onrain gēmu

le poker
ポーカー
pōkā

le jeu (cartes en main)
持ち札
mochi-fuda

jouer
ゲームをする
gēmu o suru

jeter les dés
さいころを振る
saikoro o furu

gagner
勝つ
katsu

perdre
負ける
makeru

les cartes
トランプ
toranpu

le casque de réalité
virtuelle
VR ヘッドセット
bui-āru heddosetto

la console de jeu
ゲーム機
gēmu-ki

les dés
さいころ
saikoro

les échecs
チェス
chesu

le jeu de go
囲碁
igo

le jeu vidéo
ビデオゲーム
bideo gēmu

la manette de jeu
ゲームコントローラー
gēmu kontorōrā

les pions
こま
koma

le puzzle
ジグソーパズル
jigusō pazuru

le shogi
将棋
shōgi

le sudoku
数独
sūdoku

173

Même si les travaux manuels occidentaux gagnent en popularité, l'artisanat japonais reste largement pratiqué.

VOCABULAIRE

les objets artisanaux
手工芸品
shukōgē-hin

peindre
絵を描く
e o kaku

coudre
縫う
nuu

l'amateur / l'amatrice
アマチュア
amachua

esquisser
スケッチする
suketchi suru

tricoter
編み物をする
amimono o suru

GÉNÉRAL

l'aiguille et le fil
針と糸
hari to ito

les aiguilles à tricoter
編み針
amibari

l'aquarelle
水彩絵具
suisai enogu

la boîte à couture
裁縫箱
saihō-bako

les boutons
ボタン
botan

le carnet de croquis
スケッチブック
suketchi bukku

les ciseaux de couture
裁縫ばさみ
saihō-basami

le crochet
かぎ針
kagibari

l'épingle à nourrice
安全ピン
anzen pin

les épingles
待ち針
machibari

la machine à coudre
ミシン
mishin

le mètre ruban
メジャー
mejā

la peinture à l'huile
油絵具
abura enogu

la pelote de laine
毛糸（玉）
kēto(dama)

le tissu
布
nuno

L'ARTISANAT

la broderie
刺繍
shishū

le modélisme
模型作り
mokē-zukuri

la poterie
陶芸
tōgē

l'art floral
生け花
ikebana

le bol à thé
茶碗
chawan

le bonsaï
盆栽
bonsai

la calligraphie
書道
shodō

la cérémonie du thé
茶の湯／茶道
chanoyu/sadō

le dessin à l'encre
墨絵
sumi-e

les fleurs
花
hana

l'origami
折り紙
origami

le papier japonais
和紙
washi

la pâtisserie japonaise
和菓子
wagashi

la pierre à encre de
calligraphie
硯
suzuri

le thé vert matcha
抹茶
matcha

LE SPORT | スポーツ

Il est possible de regarder ou de participer à toutes sortes de sports au Japon, que ce soient des arts martiaux traditionnels, des sports collectifs ou des sports d'hiver. N'hésitez pas à pratiquer un sport, en plein air ou en salle, ou tout simplement à discuter des derniers matchs de baseball ou de football.

le terrain de football
サッカーフィールド
sakkā fiirudo

le rond central
センターサークル
sentā sākuru

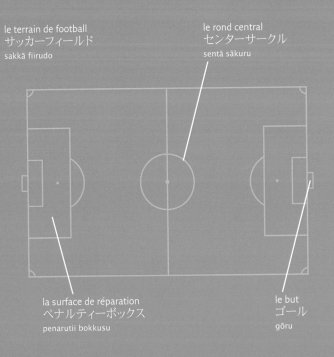

la surface de réparation
ペナルティーボックス
penarutii bokkusu

le but
ゴール
gōru

VOUS POUVEZ DIRE...

J'aime faire du sport.
スポーツをするのが好きです。
supōtsu o suru no ga suki desu.

Je n'aime pas vraiment le sport.
スポーツがあまり好きじゃありません。
supōtsu ga amari suki ja arimasen.

Je joue au football / tennis.
サッカー／テニスをします。
sakkā/tenisu o shimasu.

Je voudrais réserver...
…の予約がしたいんですが。
...no yoyaku ga shitai n desu ga.

VOUS POUVEZ ENTENDRE...

Il y a un / une... près d'ici.
近くに…があります。
chikaku ni ...ga arimasu.

Est-ce que vous faites du sport ?
何かスポーツをしますか。
nanika supōtsu o shimasu ka?

Est-ce que vous suivez un sport ?
どんなスポーツのファンですか。
donna supōtsu no fan desu ka?

Quelle est votre équipe préférée ?
好きなチームは何ですか。
suki-na chiimu wa nan desu ka?

VOCABULAIRE

le tournoi
トーナメント
tōnamento

la compétition
競技会／大会
kyōgikai/taikai

la ligue
リーグ
riigu

le sportif / la sportive
スポーツをする人
supōtsu o suru hito

le coéquipier /
la coéquipière
チームメート
chiimumēto

l'entraîneur /
l'entraîneuse
コーチ
kōchi

le directeur sportif /
la directrice sportive
マネージャー
manējā

les spectateurs
観客
kankyaku

le match
試合
shiai

les points
得点
tokuten

participer
参加する
sanka suru

gagner
勝つ
katsu

faire match nul
引き分ける
hikiwakeru

marquer
得点する
tokuten suru

perdre
負ける
makeru

l'arbitre
レフェリー
referii

le centre sportif
レジャーセンター
rejā sentā

l'équipe
チーム
chiimu

les gradins
観覧席
kanranseki

la médaille
メダル
medaru

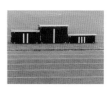

le podium
表彰台
hyōshōdai

le stade
スタジアム
sutajiamu

le tableau d'affichage
スコアボード
sukoabōdo

le trophée
トロフィー
torofii

Les salles de sport japonaises ne proposent pas obligatoirement les mêmes types de services et d'équipements que les salles françaises. Le jogging est très pratiqué et le parcours qui contourne le palais impérial de Tokyo est particulièrement fréquenté.

VOUS POUVEZ DIRE...

Je voudrais m'inscrire à la salle de sport.
ジムに入会したいんですが。
jimu ni nyūkai shitai n desu ga.

Je voudrais réserver un cours.
クラスの予約がしたいんですが。
kurasu no yoyaku ga shitai n desu ga.

Quels cours donnez-vous ici ?
ここにはどんなクラスがありますか。
koko ni wa donna kurasu ga arimasu ka?

VOUS POUVEZ ENTENDRE...

Voulez-vous réserver un entraîneur personnel ?
パーソナルトレーナーの予約をなさいますか。
pāsonaru torēnā no yoyaku o nasaimasu ka?

Quelle plage horaire souhaitez-vous réserver ?
何時に予約なさいますか。
nan-ji ni yoyaku nasaimasu ka?

VOCABULAIRE

la salle de sport
ジム
jimu

le professeur de fitness /
la professeure de fitness
ジムインストラクター
jimu insutorukutā

l'abonnement à la salle de sport
ジム会員
jimu kai-in

l'entraîneur personnel /
l'entraîneuse personnelle
パーソナルトレーナー
pāsonaru torēnā

le cours de fitness
フィットネスクラス
fittonesu kurabu

les abdos
腹筋運動
fukkin undō

les pompes
腕立て伏せ
udetatefuse

la course à pied
ランニング
ranningu

aller courir
走りに行く
hashiri ni iku

le ballon de gym
バランスボール
baransu bōru

le banc de musculation
ベンチプレス
benchi puresu

le casier
ロッカー
rokkā

la corde à sauter
縄跳び
nawatobi

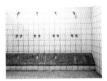

les douches
シャワー
shawā

l'haltère
ダンベル
danberu

le kettlebell
ケトルベル
ketoruberu

le rameur
ローイングマシーン
rōingu mashiin

le tapis de course
ランニングマシーン
ranningu mashiin

le vélo d'appartement
エアロバイク
earobaiku

le vélo elliptique
クロストレーナー
kurosu torēnā

le vestiaire
着替え室
kigae-shitsu

Le baseball est un sport populaire au Japon et le tournoi annuel inter-lycées organisé tous les étés au stade Kōshien est très suivi à la télévision.

VOCABULAIRE

le stade de baseball
野球場
yakyū-jō

le marbre
本塁
honrui

le monticule
マウンド
maundo

le batteur
バッター
battā

le coup de circuit
ホームラン
hōmuran

le lanceur
ピッチャー
pitchā

le receveur
キャッチャー
kyatchā

la manche
回
kai

le softball
ソフトボール
sofutobōru

la balle de baseball
野球ボール
yakyū bōru

la batte de baseball
バット
batto

la casquette
野球帽
yakyūbō

le gant de baseball
グローブ
gurōbu

le joueur de baseball /
la joueuse de baseball
野球選手
yakyū senshu

le match de baseball
野球の試合
yakyū no shiai

Le basket-ball a gagné en popularité auprès des jeunes générations japonaises, avec de belles performances dans les Jeux asiatiques. Certaines équipes professionnelles évoluent désormais en Ligue B.

VOCABULAIRE

le basket fauteuil
車椅子バスケットボール
kurumaisu basukettobōru

jouer au basket-ball
バスケットボールをする
basukettobōru o suru

dribbler
ドリブルする
doriburu suru

le dunk
スラムダンク
suramu danku

attraper
キャッチする
kyatchi suru

contrer
ブロックする
burokku suru

le lancer franc
フリースロー
furii surō

lancer
投げる
nageru

marquer
マークする
māku suru

le ballon de basket
バスケットボール
basuketto bōru

le basketteur /
la basketteuse
バスケットボール選手
basukettobōru senshu

les chaussures de basket
バスケットボールシューズ
basukettobōru shūzu

le match de basket-ball
バスケットボールの試合
basukettobōru no shiai

le panier
バスケット
basuketto

le terrain de basket-ball
バスケットボールコート
basukettobōru kōto

Le football est devenu le sport le plus populaire auprès des jeunes Japonais, en partie grâce à la Coupe du monde de 2002 organisée conjointement par le Japon et la Corée du Sud.

VOUS POUVEZ DIRE...

Est-ce que vous allez regarder le match ?
試合を見ますか。
shiai o mimasu ka?

Quel est le score ?
得点は何点ですか。
tokuten wa nan-ten desu ka?

VOUS POUVEZ ENTENDRE...

Le score est de...
得点は…です。
tokuten wa ...desu.

Allez !
がんばれ!
ganbare!

VOCABULAIRE

le défenseur /
la défenseuse
ディフェンダー
difendā

l'attaquant /
l'attaquante
フォワード
fowādo

le remplaçant /
la remplaçante
補欠
hoketsu

le coup d'envoi
キックオフ
kikku-ofu

la mi-temps
ハーフタイム
hāfu-taimu

le coup franc
フリーキック
furii kikku

la tête
ヘディング
hedingu

la faute
ファウル
fauru

hors-jeu
オフサイド
ofusaido

le penalty
ペナルティー
penarutii

jouer au football
サッカーをする
sakkā o suru

tirer
シュートする
shūto suru

faire une passe
ボールをパスする
bōru o pasu suru

marquer un but
ゴールを決める
gōru o kimeru

le ballon de foot
サッカーボール

sakkā bōru

les buts
ゴール

gōru

le carton jaune / rouge
イエロー/レッドカード

ierō/reddo kādo

les chaussures de
football
サッカーシューズ

sakkā shūzu

le footballeur /
la footballeuse
サッカー選手

sakkā senshu

les gants de gardien
キーパーグローブ

kiipā gurōbu

le gardien de but /
la gardienne de but
ゴールキーパー

gōrukiipā

le juge de touche /
la juge de touche
線審

senshin

le match de football
サッカーの試合

sakkā no shiai

les protège-tibias
すね当て

suneate

le sifflet
ホイッスル

hoissuru

le terrain de football
サッカーフィールド

sakkā fiirudo

VOCABULAIRE

l'avant
フォワード
fowādo

la pénalité
ペナルティーキック
penarutii kikku

le protège-dents
マウスピース
mausupiisu

l'arrière
バックス
bakkusu

le drop
ドロップゴール
doroppu gōru

jouer au rugby
ラグビーをする
ragubii o suru

l'essai
トライ
torai

le placage
タックル
takkuru

plaquer
タックルする
takkuru suru

la transformation
コンバージョン
konbājon

la passe
パス
pasu

marquer un essai
トライを決める
torai o kimeru

le ballon de rugby
ラグビーボール
ragubii bōru

le joueur de rugby /
la joueuse de rugby
ラグビー選手
ragubii senshu

la mêlée
スクラム
sukuramu

les poteaux de rugby
ゴールポスト
gōruposuto

le rugby
ラグビー
ragubii

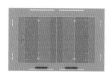

le terrain de rugby
ラグビー場
ragubii-jō

VOUS POUVEZ DIRE...

Je ne suis pas un bon nageur.
泳ぐのが上手じゃありません。
oyogu no ga jōzu ja arimasen.

Est-ce qu'il est possible de louer... ?
…が借りられますか。
...ga kariraremasu ka?

VOUS POUVEZ ENTENDRE...

Vous pouvez louer...
…が借りられます。
...ga kariraremasu.

Vous devez porter un gilet de sauvetage.
救命胴衣をつけなければいけません。
kyūmēdōi o tsukenakereba ikemasen.

VOCABULAIRE

la natation
水泳
suiē

la brasse
平泳ぎ
hiraoyogi

le dos crawlé
背泳ぎ
seoyogi

le crawl
クロール
kurōru

le papillon
バタフライ
batafurai

le couloir
レーン
rēn

profond / peu profond
深い / 浅い
fukai/asai

la longueur
長さ
nagasa

le cours de natation
水泳教室
suiē kyōshitsu

la plongée
ダイビング
daibingu

la pêche à la ligne
魚釣り
sakana tsuri

le pêcheur / la pêcheuse
釣り人
tsuribito

le marin / la femme marin
船員
sen'in

le surfeur / la surfeuse
サーファー
sāfā

nager
泳ぐ
oyogu

plonger
潜る
moguru

surfer
サーフィンをする
sāfin o suru

pagayer
パドルをする
padoru o suru

ramer
ボートをこぐ
bōto o kogu

naviguer
帆走する
hansō suru

pêcher
釣りをする
tsuri o suru

187

LA PISCINE

le bonnet de bain
水泳帽
suiēbō

les brassards
アームバンド
āmubando

les lunettes de piscine
ゴーグル
gōguru

le maillot de bain
水泳パンツ
suiē pantsu

le maillot une-pièce
水着
mizugi

le nageur / la nageuse
水泳する人
suiē suru hito

la piscine
プール
pūru

le plongeoir
飛込み板
tobikomi ita

le plongeur / la plongeuse
ダイバー
daibā

LES ÉTENDUES D'EAU

le voilier
帆船
hansen

le canoë
カヌー
kanū

la combinaison de
plongée
ウェットスーツ
wettosūtsu

le gilet de sauvetage
救命胴衣
kyūmēdōi

le jet-ski®
ジェットスキー
jetto sukii

le kayak
カヤック
kayakku

le paddle
パドルボード
padorubōdo

la pagaie
パドル
padoru

la planche à voile
ウィンドサーフィン
windosāfin

la planche de surf
サーフボード
sāfubōdo

la plongée (avec
masque et tuba)
シュノーケリング
shunōkeringu

la plongée sous-marine
スキューバダイビング
sukyūba daibingu

les rames
オール
ōru

le ski nautique
ウォータースキー
wōtāsukii

le surf
サーフィン
sāfin

189

Certains grands parcs urbains possèdent des courts de tennis publics, mais ceux-ci sont populaires et doivent souvent être réservés bien à l'avance. Les courts des clubs privés et de certains grands hôtels sont plus chers. Le badminton est de plus en plus populaire auprès des jeunes Japonais.

VOCABULAIRE

le filet
ネット
netto

la faute
フォルト
foruto

jouer au tennis
テニスをする
tenisu o suru

l'ace
サービスエース
sābisu ēsu

l'échange
ラリー
rarii

jouer au badminton
バドミントンをする
badominton o suru

le service
サーブ
sābu

jeu, set et match
ゲーム、セット、マッチ
gēmu, setto, matchi

frapper
打つ
utsu

le revers
バックハンド
bakkuhando

le simple
シングルス
shingurusu

servir
サーブする
sābu suru

le coup droit
フォアハンド
foahando

le double
ダブルス
daburusu

prendre le service de quelqu'un
サーブを破る
sābu o yaburu

LE BADMINTON

le badminton
バドミントン
badominton

la raquette de badminton
バドミントンラケット
badominton raketto

le volant
シャトル
shatoru

LE SQUASH

la balle de squash
スカッシュボール
sukasshu bōru

la raquette de squash
スカッシュラケット
sukasshu raketto

le squash
スカッシュ
sukasshu

LE TENNIS

l'arbitre
審判
shinpan

la balle de tennis
テニスボール
tenisu bōru

la chaise de l'arbitre
審判台
shinpandai

le court de tennis
テニスコート
tenisu kōto

le joueur de tennis /
la joueuse de tennis
テニス選手
tenisu senshu

le juge de ligne /
la juge de ligne
線審
senshin

la raquette de tennis
テニスラケット
tenisu raketto

le tennis
テニス
tenisu

le ramasseur de balles /
la ramasseuse de balles
ボールボーイ／ガール
bōru bōi/gāru

Les nombreuses régions montagneuses du Japon, en particulier les Alpes japonaises et l'île d'Hokkaïdo, sont idéales pour skier et pratiquer d'autres sports d'hiver.

VOUS POUVEZ DIRE...

Est-ce que je peux louer des skis ?
スキーを借りられますか。
sukii o kariraremasu ka?

Je voudrais prendre un cours de ski, s'il vous plaît.
スキーレッスンを受けたいんですが。
sukii ressun o uketai n desu ga.

Je ne skie pas très bien.
スキーがあまり上手じゃありません。
sukii ga amari jōzu ja arimasen.

Quelles sont les conditions de neige ?
雪の状態はどうですか。
yuki no jōtai wa dō desu ka?

Je me suis blessé.
けがをしました。
kega o shimashita.

VOUS POUVEZ ENTENDRE...

Vous pouvez louer des skis ici.
ここでスキーが借りられます。
koko de sukii ga kariraremasu.

Vous pouvez réserver un cours de ski ici.
ここでスキーレッスンを申し込めます。
koko de sukii ressun o mōshikomemasu.

Est-ce que vous savez skier ?
スキーの経験がありますか。
sukii no kēken ga arimasu ka?

La piste est ouverte / fermée aujourd'hui.
今日、ピストはオープンして／閉まっています。
kyō, pisuto wa ōpun shite/shimatte imasu.

Il y a un risque d'avalanche.
雪崩の恐れがあります。
nadare no osore ga arimasu.

VOCABULAIRE

le skieur / la skieuse
スキーヤー
sukiiyā

le moniteur de ski / la monitrice de ski
スキー指導員
sukii shidōin

l'équipe de pisteurs-secouristes
スキーパトロール
sukii patorōru

la station de ski
スキー場
sukii-jō

la remontée mécanique
スキーリフト
sukii rifuto

la piste
ピスト
pisuto

la neige
雪
yuki

l'avalanche
雪崩
nadare

skier (hors piste)
スキーをする
sukii o suru

la glace
氷
kōri

faire du patin à glace
スケートをする
sukēto o suru

faire du snowboard
スノーボードをする
sunōbōdo o suru

les bâtons de ski
ストック
sutokku

le casque
スキーヘルメット
sukii herumetto

les chaussures de ski
スキーブーツ
sukii būtsu

le manteau de ski
スキージャケット
sukii jaketto

le masque de ski
スキーゴーグル
sukii gōguru

le patinage
アイススケート
aisu sukēto

les patins à glace
スケート靴
sukēto-gutsu

les skis
スキー板
sukii ita

le snowboard
スノーボード
sunōbōdo

La marche à pied, la randonnée et l'alpinisme sont de plus en plus populaires au Japon, avec de nombreux refuges de montagne qui ouvrent en été.

VOCABULAIRE

la trousse de secours
救急箱
kyūkyūbako

le sentier de randonnée
ハイキングコース
haikingu kōsu

l'imperméable
防水ジャケット
bōsui-jaketto

le GPS
GPS
jii-pii-esu

le chemin
小道
komichi

faire de la randonnée
ハイキングをする
haikingu o suru

le secours en montagne
山岳救助隊
sangaku kyūjotai

le sommet
頂上
chōjō

faire de l'alpinisme
登山する
tozan suru

les bâtons de marche
トレッキングポール
torekkingu pōru

la boussole
コンパス
konpasu

les chaussures de marche
トレッキングシューズ
torekkingu shūzu

la corde
ロープ
rōpu

les crampons
アイゼン
aizen

le piolet
ピッケル
pikkeru

Les clubs de golf japonais ont longtemps été connus pour être extrêmement chers et sélectifs mais de nombreux clubs sont désormais plus accessibles au public. En ville, il est courant de voir des practices de plusieurs étages.

VOCABULAIRE

le joueur de golf /
la joueuse de golf
ゴルファー
gorufā

le caddie / la caddie
キャディー
kyadii

le terrain de golf
ゴルフコース
gorufu kōsu

le green
グリーン
guriin

le pavillon
クラブハウス
kurabuhausu

le bunker
バンカー
bankā

le trou
ホール
hōru

le trou en un
ホールインワン
hōru-in-wan

jouer au golf
ゴルフをする
gorufu o suru

la balle de golf
ゴルフボール
gorufu bōru

le club de golf
ゴルフクラブ
gorufu kurabu

le practice
ゴルフ練習場
gorufu renshū-jō

le sac de golf
ゴルフバッグ
gorufu baggu

le tee
ティー
tii

la voiturette de golf
ゴルフカート
gorufu kāto

Le Japon possède une longue histoire des arts martiaux, dont font partie le tir à l'arc et le kendo (de l'escrime avec des sabres en bambou) mais aussi le judo et le karaté, plus connus. Le sport national du sumo a de nombreux rituels liés au shintoïsme.

VOCABULAIRE

le dojo
道場
dōjō

le maître / la maîtresse
師範
shihan

le concurrent /
la concurrente
競技者
kyōgisha

l'adversaire
相手
aite

le combat
試合
shiai

le coup de poing
パンチ
panchi

le lancer
投げ
nage

le KO
ノックアウト
nokkuauto

le salut
弓
yumi

la flèche
矢
ya

lutter
格闘する
kakutō suru

donner un coup de
poing
なぐる
naguru

donner un coup de pied
蹴る
keru

lancer
投げる
nageru

frapper
打つ
utsu

LES ARTS MARTIAUX ET LES SPORTS DE COMBAT

l'aïkido
合気道
aikidō

la boxe
ボクシング
bokushingu

le judo
柔道
jūdō

le karaté
空手
karate

le kendo
剣道
kendō

la lutte
レスリング
resuringu

le sabre en bambou
竹刀
shinai

le taekwondo
テコンドー
tekondō

le tir à l'arc japonais
弓道
kyūdō

LE SUMO

l'arbitre de sumo
行司
gyōji

le lutteur de sumo /
la lutteuse de sumo
相撲取り
sumō-tori

la ceinture de sumo
まわし
mawashi

l'arène de sumo
土俵
dohyō

VOCABULAIRE

le coureur /
la coureuse
走者
sōsha

la course
レース
rēsu

le marathon
マラソン
marason

le sprint
短距離走
tankyorisō

la course de relais
リレー
rirē

le couloir
レーン
rēn

la ligne de départ /
d'arrivée
スタート/ゴールラ
イン
sutāto/gōru rain

l'épreuve éliminatoire
予選
yosen

la finale
決勝戦
kesshōsen

le triple saut
3段飛び
sandan-tobi

l'heptathlon
ヘプタスロン
heputasuron

le décathlon
デカスロン
dekasuron

le pistolet de départ
スターターピストル
sutātā pisutoru

faire de l'athlétisme
陸上競技をする
rikujō kyogi o suru

courir
走る
hashiru

faire la course
競走する
kyōsō suru

sauter
跳ぶ
tobu

lancer
投げる
nageru

l'athlète
陸上競技の選手
rikujō kyōgi no senshu

les chaussures à pointes
スパイク
supaiku

le chronomètre
ストップウォッチ
sutoppu wotchi

la course de haies
ハードル
hādoru

le javelot
やり投げ
yari-nage

le lancer de disque
円盤投げ
enban-nage

le lancer du poids
砲丸投げ
hōgan-nage

la piste
トラック
torakku

le saut à la perche
棒高跳び
bō-takatobi

le saut en hauteur
走り高跳び
hashiri takatobi

le saut en longueur
走り幅跳び
hashiri-habatobi

le starting-block
スターティングブロック
sutātingu burokku

la course automobile
カーレース
kā rēsu

la course de chevaux
競馬
kēba

le cricket
クリケット
kuriketto

le curling
カーリング
kāringu

le football américain
アメフト
amefuto

le gateball
ゲートボール
gētobōru

la gymnastique
体操
taisō

le hockey sur glace
アイスホッケー
aisu hokkē

le keirin
競輪
kērin

le skateboard
スケートボード
sukētobōdo

le tennis de table
卓球
takkyū

le volleyball
バレーボール
barēbōru

LA SANTÉ | 健康

Si vous êtes un visiteur ou un étudiant au Japon pendant une courte période, assurez-vous d'avoir une couverture santé adaptée dans votre assurance voyage. Les personnes qui restent plus de 3 mois au Japon doivent avoir une assurance maladie, soit de leur employeur, soit de l'assurance maladie publique. Vous devez montrer votre carte d'assurance maladie à chaque consultation ou achat de traitement.

la trousse de secours
救急箱
kyūkyūbako

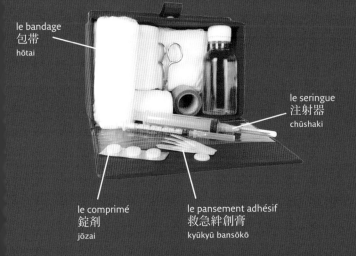

le bandage
包帯
hōtai

le seringue
注射器
chūshaki

le comprimé
錠剤
jōzai

le pansement adhésif
救急絆創膏
kyūkyū bansōkō

Le pharmacien est généralement le premier interlocuteur pour traiter la plupart des maladies et blessures peu graves, en particulier dans les petits villages qui n'ont pas de clinique.

VOUS POUVEZ DIRE...

Je ne me sens pas bien.
気分がよくないです。
kibun ga yokunai desu.

Je suis malade depuis un moment.
ずっと気分が悪いです。
zutto kibun ga warui desu.

Je me suis fait mal au / à la...
…を痛めました。
...o itamemashita.

J'ai envie de vomir.
吐きそうです。
haki-sō desu.

Je dois aller voir un médecin.
お医者さんに診てもらう必要があります。
o-isha-san ni mite morau hitsuyō ga arimasu.

Je dois aller à l'hôpital.
病院に行く必要があります。
byōin ni iku hitsuyō ga arimasu.

Appelez les secours.
救急車を呼んでください。
kyūkyūsha o yonde kudasai.

VOUS POUVEZ ENTENDRE...

Qu'est-ce qui ne va pas ?
どうしましたか。
dō shimashita ka?

Où avez-vous mal ?
どこが痛みますか。
doko ga itamimasu ka?

VOCABULAIRE

le spécialiste /
la spécialiste
専門医
senmon'i

les premiers secours
応急手当
ōkyū teate

le patient / la patiente
患者
kanja

la douleur
痛み
itami

la maladie
病気
byōki

la santé mentale
精神衛生
sēshin ēsē

le traitement 治療 chiryō	la carte d'assurance maladie 健康保険証 kenkō hoken-shō	se remettre 回復する kaifuku suru
la guérison 回復 kaifuku	en bonne santé 健康的な kenkōteki-na	prendre soin de …の面倒を見る …no mendō o miru
l'assurance maladie 健康保険 kenkō hoken	être malade 元気じゃない genki ja nai	soigner 治療する chiryō suru

L'assurance maladie nationale couvre 70 % de tous les frais, le reste étant à la charge du patient.

l'ambulancier /
l'ambulancière
救急救命士
kyūkyū kyūmēshi

l'hôpital
病院
byōin

l'infirmier / l'infirmière
看護師
kangoshi

le médecin /
la médecin
医者／お医者さん
isha/o-isha-san

la pharmacie
薬局
yakkyoku

le pharmacien /
la pharmacienne
薬剤師
yakuzaishi

VOCABULAIRE

la gorge
のど
nodo

les organes génitaux
性器
sēki

le sein
乳房
chibusa

le cil
まつ毛
matsuge

le sourcil
眉毛
mayuge

la paupière
まぶた
mabuta

les narines
鼻の穴
hana no ana

les lèvres
唇
kuchibiru

la langue
舌
shita

la peau
皮膚
hifu

le poil
体毛/毛
taimō/ke

la taille
身長
shinchō

le poids
体重
taijū

l'ouïe
聴覚
chōkaku

la vue
視覚
shikaku

l'odorat
嗅覚
kyūkaku

le goût
味覚
mikaku

le toucher
触覚
shokkaku

voir
見る
miru

sentir
においをかぐ
nioi o kagu

entendre
聞く
kiku

toucher
触る
sawaru

goûter
味わう
ajiwau

perdre l'équilibre
バランスを失う
baransu o ushinau

LE VISAGE

les cheveux
髪
kami

l'œil
目
me

l'oreille
耳
mimi

le nez
鼻
hana

la mâchoire
あご
ago

le front
額
hitai

la joue
ほお
hō

la bouche
口
kuchi

le menton
あご
ago

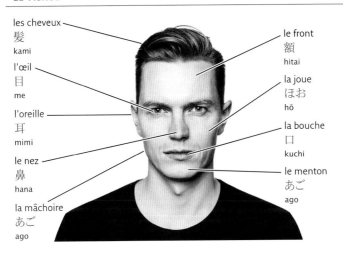

LA MAIN

l'articulation
指関節
yubi kansetsu

l'ongle
爪
tsume

le poignet
手首
tekubi

la paume
手のひら
tenohira

le pouce
親指
oyayubi

le doigt
手の指
te no yubi

LE PIED

le gros
orteil
足の親
指
ashi no
oyayubi

l'orteil
足の指
ashi no yubi

l'ongle de
pied
足のつめ
ashi no
tsume

la plante
足の裏
ashi no ura

le talon
かかと
kakato

la cheville
くるぶし
kurubushi

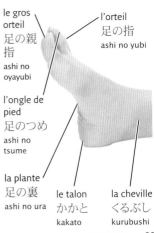

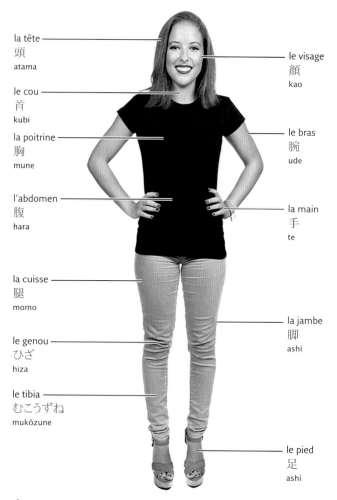

la tête
頭
atama

le cou
首
kubi

la poitrine
胸
mune

l'abdomen
腹
hara

la cuisse
腿
momo

le genou
ひざ
hiza

le tibia
むこうずね
mukōzune

le visage
顔
kao

le bras
腕
ude

la main
手
te

la jambe
脚
ashi

le pied
足
ashi

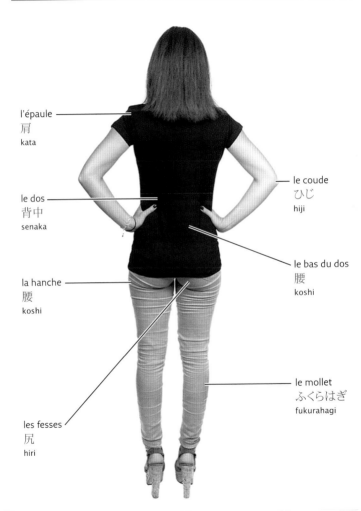

l'épaule
肩
kata

le coude
ひじ
hiji

le dos
背中
senaka

le bas du dos
腰
koshi

la hanche
腰
koshi

les fesses
尻
hiri

le mollet
ふくらはぎ
fukurahagi

Avec un peu de chance, vous n'aurez pas à utiliser le vocabulaire de cette page, mais il est toujours utile d'avoir la terminologie nécessaire à disposition en cas de besoin.

VOCABULAIRE

le squelette 骨格 kokkaku	le rein 腎臓 jinzō	l'os 骨 hone
l'organe 臓器 zōki	les intestins 腸 chō	le muscle 筋肉 kinniku
le cerveau 脳 nō	le système digestif 消化器官 shōka kikan	le tendon 腱 ken
le cœur 心臓 shinzō	la vessie 膀胱 bōkō	le tissu 組織 soshiki
le poumon 肺 hai	le sang 血液／血 ketsueki/chi	la cellule 細胞 saibō
le foie 肝臓 kanzō	l'oxygène 酸素 sanso	l'artère 動脈 dōmyaku
l'estomac 胃 i	l'articulation 関節 kansetsu	la veine 静脈 jōmyaku

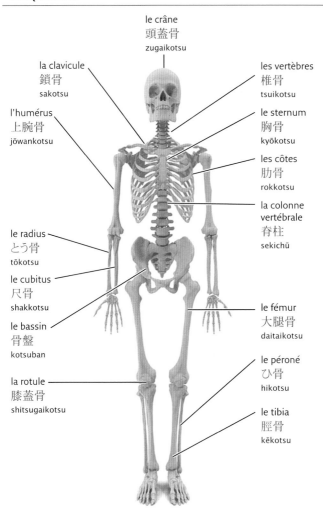

le crâne
頭蓋骨
zugaikotsu

la clavicule
鎖骨
sakotsu

les vertèbres
椎骨
tsuikotsu

l'humérus
上腕骨
jōwankotsu

le sternum
胸骨
kyōkotsu

les côtes
肋骨
rokkotsu

la colonne
vertébrale
脊柱
sekichū

le radius
とう骨
tōkotsu

le cubitus
尺骨
shakkotsu

le bassin
骨盤
kotsuban

le fémur
大腿骨
daitaikotsu

le péroné
ひ骨
hikotsu

la rotule
膝蓋骨
shitsugaikotsu

le tibia
脛骨
kēkotsu

Il n'y a pas d'équivalent du médecin généraliste au Japon. Les patients se font soigner à l'hôpital public ou dans la clinique privée de leur choix. En plus des grands hôpitaux, chaque petit hôpital a sa propre spécialité.

VOUS POUVEZ DIRE...

Je voudrais prendre rendez-vous.
予約したいんですが。
yoyaku shitai n desu ga.

Je suis allergique à...
…にアレルギーがあります。
...ni arerugii ga arimasu.

J'ai rendez-vous avec le Dr...
…先生に予約してあります。
...sensē ni yoyaku shite arimasu.

Je prends des médicaments contre...
…の薬を飲んでいます。
...no kusuri o nonde imasu.

VOUS POUVEZ ENTENDRE...

Votre rendez-vous est à... heures.
予約は…時です。
yoyaku wa ...ji desu.

Est-ce que vous avez des allergies ?
何かアレルギーがありますか。
nanika arerugii ga arimasu ka?

Le médecin / L'infirmier va vous appeler.
医師／看護師がお呼びします。
ishi/kangoshi ga o-yobi shimasu.

Est-ce que vous prenez des médicaments ?
何か薬を飲んでいますか。
nanika kusuri o nonde imasu ka?

Quels sont vos symptômes ?
どんな症状ですか。
donna shōjō desu ka?

Prenez deux comprimés deux fois par jour.
1日に2回、2錠ずつ飲んでください。
ichi-nichi ni ni-kai, ni-jō zutsu nonde kudasai.

Je peux vous examiner ?
診てみましょうか。
mite mimashō ka?

Dites-moi si ça vous fait mal.
痛かったら言ってください。
itakattara itte kudasai.

Vous devez aller voir un spécialiste.
専門医に診てもらってください。
senmon'i ni mite moratte kudasai.

le rendez-vous
予約
yoyaku

les antibiotiques
抗生物質
kōsēbusshitsu

le vaccin
予防接種
yobōsesshu

la clinique
診療所
shinryōjo

la pilule
ピル
piru

l'injection
注射
chūsha

la salle d'examen
診察室
shinsatsu-shitsu

le somnifère
睡眠薬
suimin'yaku

examiner
診察する
shinsatsu suru

l'examen
診察
shinsatsu

l'ordonnance
処方せん
shohōsen

être sous traitement
薬物治療を受けて
いる
yakubutsu chiryō o ukete
iru

le test
検査
kensa

la consultation à
domicile
往診
ōshin

la salle d'attente
待合室
machiai-shitsu

la seringue
注射器
chūshaki

le stéthoscope
聴診器
chōshinki

la table d'examen
診察台
shinsatsudai

le tensiomètre
血圧計
ketsuatsukē

le thermomètre
体温計
taionkē

VOUS POUVEZ DIRE...

Est-ce que je peux prendre un rendez-vous d'urgence ?
救急の予約がしたいんですが。
kyūkyū no yoyaku ga shitai n desu ga.

J'ai mal aux dents.
歯が痛いです。
ha ga itai desu.

J'ai un abcès.
うんでいます。
unde imasu.

Mon plombage est tombé.
詰め物が取れました。
tsumemono ga toremashita.

Je me suis cassé une dent.
歯が折れました。
ha ga oremashita.

Mon dentier s'est cassé.
入れ歯が壊れました。
ireba ga kowaremashita.

VOUS POUVEZ ENTENDRE...

Nous ne pouvons pas vous donner un rendez-vous d'urgence.
救急の予約はできません。
kyūkyū no yoyaku wa dekimasen.

Votre dent doit être arrachée.
歯を抜かなければいけません
ね。
ha o nukanakereba ikemasen ne.

Vous avez besoin d'un nouveau plombage.
新しい詰め物をしなければい
けませんね。
atarashii tsumemono o shinakereba
ikemasen ne.

VOCABULAIRE

la visite de contrôle 定期健診 tēki kenshin	l'incisive 切歯 sesshi	les dents de sagesse 親知らず oyashirazu
la molaire 臼歯 kyūshi	la canine 犬歯 kenshi	le plombage 詰め物 tsumemono

la couronne
歯冠
shikan

le mal de dents
歯痛
shitsū

l'extraction
抜歯
basshi

la dévitalisation
抜髄処置
batsuzui shochi

l'abcès
腫れ
hare

se brosser les dents
歯を磨く
ha o migaku

l'appareil dentaire
歯列矯正器
shiretsukōsēki

l'assistant dentaire /
l'assistante dentaire
歯科助手
shika joshu

le dentier
入れ歯
ireba

le dentiste / la dentiste
歯医者／歯科医
haisha/shika-i

les dents
歯
ha

le fauteuil du dentiste
歯医者の椅子
haisha no isu

le fil dentaire
デンタルフロス
dentaru-furosu

la fraise dentaire
歯科用ドリル
shikayō doriru

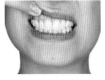

les gencives
歯茎
haguki

Au Japon, les ophtalmologues comme les opticiens effectuent des examens de la vue, mais seuls les opticiens fournissent les lunettes et les lentilles de contact. Le Japon est connu pour sa fabrication de verres de haute qualité.

VOUS POUVEZ DIRE...

Je voudrais prendre rendez-vous.
予約したいんですが。
yoyaku shitai n desu ga.

Faites-vous les réparations de lunettes ?
眼鏡を直してもらえますか。
megane o naoshite moraemasu ka?

VOUS POUVEZ ENTENDRE...

Votre rendez-vous est à... heures.
予約は…時です。
yoyaku wa ...ji desu.

Regardez en haut / en bas / devant vous.
上／下／前を見てください。
ue/shita/mae o mite kudasai.

VOCABULAIRE

l'ophtalmologue
眼科医／眼医者
ganka-i/me-isha

les lunettes de lecture
読書用メガネ
dokusho yō megane

les verres à double foyer
遠近両用眼鏡
enkin ryōyō megane

les lentilles de contact rigides / souples
ハード／ソフトレンズ
hādo/sofuto renzu

la conjonctivite
結膜炎
ketsumakuen

l'orgelet
ものもらい
monomorai

la cataracte
白内障
hakunaishō

la vision trouble
かすみ目
kasumime

myope
近視
kinshi

presbyte
遠視
enshi

malvoyant
視覚障害者
shikaku shōgaisha

aveugle
目の不自由な
me no fujiyū-na

daltonien
色盲の
shikimō no

porter des lunettes
眼鏡を掛ける
megane o kakeru

porter des lentilles de contact
コンタクトを使う
kontakuto o tsukau

le collyre
目薬
megusuri

l'étui à lunettes
眼鏡ケース
megane kēsu

l'étui pour lentilles de contact
コンタクトレンズケース
kontakuto renzu kēsu

l'examen de la vue
視力検査
shiryoku kensa

les lentilles de contact
コンタクトレンズ
kontakuto renzu

les lunettes
眼鏡
megane

la monture
眼鏡フレーム
megane furēmu

l'opticien / l'opticienne
眼鏡屋
megane-ya

le tableau d'acuité visuelle
視力表
shiryoku hyō

La majorité des hôpitaux et des cliniques sont privés, mais les hôpitaux publics sont plus prestigieux. Beaucoup d'entre eux acceptent la carte d'assurance maladie japonaise mais la plupart n'acceptent que les paiements en espèces.

VOUS POUVEZ DIRE...

Dans quel service est-il / est-elle ?
どの病棟にいますか?
dono byōtō ni imasu ka?

Quelles sont les heures de visite ?
面会時間はいつですか。
menkai-jikan wa itsu desu ka?

VOUS POUVEZ ENTENDRE...

Il / Elle est dans le service...
…病棟にいますよ。
…byōtō ni imasu yo.

Les heures de visites sont de... à...
面会時間は…時から…時までです。
menkai-jikan wa …ji kara …ji made desu.

VOCABULAIRE

l'hôpital public /
la clinique privée
公立／私立病院
kōritsu/shiritsu byōin

les urgences
救急医療科
kyūkyū iryōka

le kinésithérapeute /
la kinésithérapeute
理学療法士
rigaku ryōhōshi

le radiologue /
la radiologue
X線技師
ekkusu-sen gishi

le chirurgien /
la chirurgienne
外科医
geka-i

l'opération
手術
shujutsu

le scanner
スキャン
sukyan

le défibrillateur
除細動器
josaidōki

les soins intensifs
集中治療
shūchū chiryō

le diagnostic
診断
shindan

se faire opérer
手術を受ける
shujutsu o ukeru

être admis à l'hôpital /
autorisé à sortir
入院／退院する
nyūin/tai-in suru

LE SAVIEZ-VOUS ?

Appelez le 119 pour contacter une ambulance ou les pompiers : les ambulances sont envoyées des casernes de pompiers locales. Les ambulances aériennes, avec médecins et infirmiers, sont appelées les « médecins hélicoptères ».

l'ambulance
救急車
kyūkyūsha

les béquilles
松葉づえ
matsubazue

le déambulateur
歩行補助器
hokō hojoki

l'écran de contrôle
モニター
monitā

le fauteuil roulant
車椅子
kuruma-isu

le lit d'hôpital
病院用ベッド
byōin-yō beddo

le masque à oxygène
酸素マスク
sanso masuku

la perfusion
点滴
tenteki

la radio
レントゲン
rentogen

la salle d'opération
手術室
shujutsu-shitsu

le service hospitalier
病棟
byōtō

l'hélicoptère sanitaire
ドクターヘリ
dokutā heri

VOUS POUVEZ DIRE...

Est-ce que vous pouvez appeler les secours ?
救急車を呼んでください。
kyūkyūsha o yonde kudasai.

J'ai eu un accident.
事故を起こしました。
jiko o okoshimashita.

Je me suis fait mal au / à la...
…を痛めました。
...o itamemashita.

Je me suis cassé le / la...
…の骨を折りました。
...no hone o orimashita.

Je me suis foulé le / la...
…をくじきました。
...o kujikimashita.

Je me suis coupé.
切りました。
kirimashita.

Je me suis brûlé.
やけどしました。
yakedo shimashita.

Je me suis cogné la tête.
頭を打ちました。
atama o uchimashita.

VOUS POUVEZ ENTENDRE...

Est-ce que vous avez la tête qui tourne ?
ふらふらしますか。
furafura shimasu ka?

Est-ce que vous avez envie de vomir ?
吐き気がしますか。
hakike ga shimasu ka?

J'ai appelé les secours.
救急車を呼びました。
kyūkyūsha o yobimashita.

Vous devez être admis à l'hôpital.
入院してください。
nyūin shite kudasai.

VOCABULAIRE

le pouls 脈拍 myakuhaku	l'accident 事故 jiko	la luxation 脱臼 dakkyū
la commotion cérébrale 脳震とう nōshintō	la chute 転落 tenraku	la foulure 捻挫 nenza

218

la cicatrice
傷跡
kizuato

le coup du lapin
むち打ち症
muchiuchishō

le gonflement
むくみ
mukumi

le garrot
止血帯
shiketsutai

la position latérale de
sécurité
回復体位
kaifuku tai-i

la réanimation
cardiopulmonaire
心肺蘇生法
shinpai sosēhō

la minerve
けいつい装具
kētsui sōgu

le plâtre
ギプス
gipusu

l'attelle
添え木
soegi

être inconscient
気を失っている
ki o ushinatte iru

prendre son pouls
脈を測る
myaku o hakaru

se blesser
けがをする
kega o suru

tomber
転落する
tenraku suru

se casser le bras
腕を折る
ude o oru

se tordre la cheville
足首をひねる
ashikubi o hineru

LES BLESSURES

l'ampoule
まめ
mame

le bleu
打ち身
uchimi

la brûlure
火傷
yakedo

le coup de soleil
日焼けの炎症
hiyake no enshō

la coupure
切り傷
kirikizu

l'écharde
とげ
toge

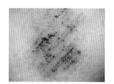

l'éraflure
擦り傷
surikizu

la fracture
骨折
kossetsu

la piqûre
虫刺され
mushisasare

LES PREMIERS SECOURS

le bandage
包帯
hōtai

l'écharpe
吊り包帯
tsuri hōtai

la gaze
ガーゼ
gāze

le pansement adhésif
救急絆創膏
kyūkyū bansōkō

la pince à épiler
ピンセット
pinsetto

la poche de glace
氷のう
hyōnō

la pommade
軟膏
nankō

le ruban adhésif
医療用テープ
iryōyō tēpu

la trousse de secours
救急箱
kyūkyūbako

Les pharmacies sont soit des magasins individuels, soit situées dans des grands magasins ou des supermarchés. Elles donnent des conseils et fournissent des médicaments sur mais aussi sans ordonnance.

VOUS POUVEZ DIRE...

J'ai un rhume.
風邪をひきました。
kaze o hikimashita.

J'ai la grippe.
インフルエンザにかかりました。
infuruenza ni kakarimashita.

J'ai une éruption cutanée.
発疹が出ました。
hasshin ga demashita.

J'ai mal au ventre.
お腹が痛いです。
onaka ga itai desu.

J'ai de la fièvre.
熱があります。
netsu ga arimasu.

J'ai des frissons / vertiges.
ぞくぞく／ふらふらします。
zokuzoku/furafura shimasu.

Je vais m'évanouir.
気が遠くなりそうです。
ki ga tōku nari-sō desu.

Je fais de l'asthme / du diabète.
喘息／糖尿病があります。
zensoku/tōnyōbyō ga arimasu.

VOUS POUVEZ ENTENDRE...

Vous devriez aller à la pharmacie / la clinique.
薬局／医者に行ったほうがいいですよ。
yakkyoku/isha ni itta hō ga ii desu yo.

Vous avez besoin de repos.
休んだほうがいいですよ。
yasunda hō ga ii desu yo.

VOCABULAIRE

la crise cardiaque
心臓発作
shinzō hossa

l'infection
感染
kansen

le virus
ウイルス
uirusu

l'AVC
脳卒中
nōsotchū

l'otite
中耳炎
chūjien

le rhume
風邪
kaze

la grippe
インフルエンザ
infuruenza

la varicelle
水ぼうそう
mizubōsō

la gastroentérite
胃腸炎
ichōen

l'intoxication alimentaire
食中毒
shokuchūdoku

les vomissements
嘔吐
ōto

la diarrhée
下痢
geri

la constipation
便秘
benpi

la maladie cœliaque
セリアック病
seriakku-byō

le diabète
糖尿病
tōnyōbyō

l'épilepsie
てんかん
tenkan

l'asthme
喘息
zensoku

le cancer
癌
gan

la migraine
偏頭痛
henzutsū

l'inhalateur
吸入器
kyūnyūki

l'insuline
インスリン
insurin

les douleurs menstruelles
生理痛
sēritsū

faire de l'hypertension / l'hypotension
血圧が高い／低い
ketsuatsu ga takai/hikui

tousser
咳が出る
seki ga deru

éternuer
くしゃみをする
kushami o suru

vomir
吐く
haku

s'évanouir
気が遠くなる
ki ga tōku naru

l'éruption cutanée
発疹
hasshin

la fièvre
熱
netsu

la nausée
吐き気
hakike

LA GROSSESSE | 妊娠

Si vous voyagez pendant votre grossesse, pensez à souscrire une assurance maladie adaptée. Si vous tombez enceinte alors que vous habitez au Japon, vous devrez enregistrer votre grossesse au bureau municipal local, qui vous donnera un livret mère-enfant (母子手帳 boshi techō) et des informations de santé.

VOUS POUVEZ DIRE...

Je suis enceinte de 25 semaines.
妊娠25週目です。
ninshin nijūgo-shū-me desu.

Ma compagne / femme est enceinte.
パートナー／妻は妊娠しています。
pātonā/tsuma wa ninshin shite imasu.

J'ai / Elle a des contractions toutes les... minutes.
…分ごとに陣痛が来ます。
...fun/pun goto ni jintsū ga kimasu.

J'ai / Elle a perdu les eaux.
破水しました。
hasui shimashita.

J'ai besoin de quelque chose pour soulager la douleur.
痛み止めがほしいです。
itami-dome ga hoshii desu.

VOUS POUVEZ ENTENDRE...

Vous êtes enceinte de combien de mois ?
何週目ですか。
nan-shū-me desu ka?

Combien de temps y a-t-il entre vos contractions ?
陣痛はどのぐらいの間隔ですか。
jintsū wa dono gurai no kankaku desu ka?

Je peux vous examiner ?
診てみましょうか。
mite mimashō ka?

Poussez !
いきんで！
ikinde!

VOCABULAIRE

le fœtus
胎児
taiji

l'utérus
子宮
shikyū

le col de l'utérus
子宮頸部
shikyū kēbu

le travail
陣痛
jintsū

l'accouchement
分娩
bunben

la péridurale
硬膜外麻酔
kōmakugai-masui

la césarienne
帝王切開
tēō sekkai

la fausse couche
流産
ryūzan

mort-né
死産
shizan

prématuré
未熟児
mijukuji

le terme
予定日
yotēbi

la nausée matinale
つわり
tsuwari

tomber enceinte
妊娠する
ninshin suru

être enceinte
妊娠している
ninshin shite iru

commencer à avoir des contractions
陣痛が始まる
jintsū ga hajimaru

accoucher
出産する
shussan suru

faire une fausse couche
流産する
ryūzan suru

allaiter
授乳する
junyū suru

LE SAVIEZ-VOUS ?

Certains hôpitaux ne donnent pas systématiquement le sexe du bébé lors de l'échographie. Vous pouvez d'ailleurs leur demander de ne pas vous le dire.

la couveuse
保育器
hoikuki

l'échographie
超音波検査
chō-onpa kensa

le nouveau-né /
la nouveau-née
新生児
shinsēji

le sage-femme /
la sage-femme
助産師
josanshi

la salle d'accouchement
分娩室
bunben-shitsu

le test de grossesse
妊娠検査
ninshin kensa

LES MÉDECINES ALTERNATIVES | 代替療法

Le Japon a une longue histoire dans l'utilisation de l'acupuncture et de l'acupression. La sylvothérapie, une forme de thérapie qui consiste à passer du temps en forêt, est populaire au Japon depuis les années 80.

VOCABULAIRE

le thérapeute /
la thérapeute
療法士
ryōhōshi

le masseur /
la masseuse
マッサージ師
massājishi

le chiropracteur /
la chiropractrice
カイロプラクター
kairopurakutā

l'acupuncteur /
l'acupunctrice
鍼灸師
shinkyūshi

le réflexologue /
la réflexologue
リフレクソロジスト
rifurekusorojisuto

le praticien en
médecine chinoise /
la praticienne en
médecine chinoise
漢方医
kanpōi

se détendre
くつろぐ
kutsurogu

masser
マッサージする
massāji suru

méditer
めい想する
mēsō suru

la sylvothérapie
森林浴
shinrin-yoku

l'acupression
指圧
shiatsu

l'acupuncture
鍼
hari

l'aromathérapie
アロマテラピー
aromaterapii

la chiropraxie
カイロプラクティック
kairopurakutikku

l'hypnothérapie
催眠療法
saimin ryōhō

le massage
マッサージ
massāji

la médecine
traditionnelle chinoise
漢方薬
kanpōyaku

la méditation
めい想
mēsō

la moxibustion
灸
kyū

l'ostéopathie
整骨療法
sēkotsu ryōhō

la phytothérapie
植物療法
shokubutsu ryōhō

la réflexologie
リフレクソロジー
rifurekusorojii

LE VÉTÉRINAIRE │ 獣医

L'importation d'animaux de compagnie au Japon est strictement réglementée et requiert des vaccins contre la rage et d'autres maladies, une puce électronique, un permis d'importation et une quarantaine. Il vaut mieux consulter ces exigences avec attention avant de partir.

VOUS POUVEZ DIRE...

J'ai un rendez-vous.
予約／約束があります。
yoyaku/yakusoku ga arimasu.

Mon chien s'est blessé.
犬がけがをしました。
inu ga kega o shimashita.

Mon chat est malade.
猫が病気です。
neko ga byōki desu.

Il / Elle n'arrête pas de se gratter.
いつもひっかいています。
itsumo hikkaite imasu.

VOUS POUVEZ ENTENDRE...

Qu'est-ce qui ne va pas ?
どこが悪いですか。
doko ga warui desu ka?

Est-ce que votre animal est pucé ?
マイクロチップを入れていますか。
maikurochippu o ireteimasu ka?

Est-ce que vous avez un certificat de quarantaine à l'importation ?
輸入検疫証明書はありますか。
yunyū ken'eki shōmēsho wa arimasu ka?

VOCABULAIRE

la clinique vétérinaire
動物病院
dōbutsu byōin

l'animal de compagnie
ペット
petto

la puce
ノミ
nomi

la tique
ダニ
dani

la quarantaine
検疫
ken'eki

le permis d'importation
輸入許可証
yunyū kyokashō

le vaccin contre la rage
狂犬病予防接種
kyōken-byō yobō-sesshu

la puce électronique
マイクロチップ
maikurochippu

vacciner
予防接種をする
yobō-sesshu o suru

stériliser / castrer
卵巣を除去／去勢する
ransō o jokyo/kyosē suru

euthanasier
安楽死させる
anrakushi saseru

l'assistant vétérinaire /
l'assistante vétérinaire
獣医看護師
jūi kangoshi

la cage
ケージ
kēji

la collerette
エリザベスカラー
erizabesu karā

le collier antipuces
ノミよけ首輪
nomiyoke kubiwa

la laisse
リード
riido

le panier de transport
ペットキャリー
petto kyarii

le vétérinaire / la vétérinaire
獣医
jūi

228

L'archipel montagneux du Japon, qui s'étend sur 2 500 km environ, se compose d'un large éventail de paysages et de climats. Plus de 30 parcs nationaux permettent aux visiteurs d'explorer les habitats montagneux, forestiers et marins du pays.

la grue
鶴
tsuru

l'aile
翼
tsubasa

le bec
くちばし
kuchibashi

la griffe
つめ
tsume

la queue
しっぽ
shippo

VOUS POUVEZ DIRE...

À quoi ressemble le paysage ?
景色はどうですか。
keshiki wa dō desu ka?

VOUS POUVEZ ENTENDRE...

Le paysage est magnifique /
sauvage.
景色はすばらしい／野性的で
す。
keshiki wa subarashii/yasēteki desu.

VOCABULAIRE

l'animal 動物 dōbutsu	la fourrure 毛皮 kegawa	la plume 羽 hane
l'oiseau 鳥 tori	la patte / le sabot 足／ひづめ ashi/hizume	l'aile 翼 tsubasa
le poisson 魚 sakana	le museau 鼻 hana	le bec くちばし kuchibashi
l'espèce 種 shu	la crinière たてがみ tategami	les écailles うろこ uroko
le parc national 国立公園 kokuritsu kōen	la queue 尾部 bibu	la coquille 貝殻 kaigara
la réserve naturelle 自然保護区 shizen hogo-ku	la griffe つめ tsume	l'animal à sang froid 変温動物 hen'on dōbutsu
le zoo 動物園 dōbutsuen	la corne 角 tsuno	l'animal à sang chaud 恒温動物 kōon dōbutsu

Les animaux de compagnie sont beaucoup moins courants au Japon que dans les pays occidentaux, en particulier à cause de la petite taille des maisons et de l'impossibilité d'avoir des animaux en appartement. Les chats et les chiens restent tout de même les animaux de compagnie les plus appréciés.

VOUS POUVEZ DIRE...

Est-ce que vous avez des animaux de compagnie ?
ペットを飼っていますか。
petto o katte imasu ka?

Est-ce que je peux emmener mon animal ?
ペットを連れてきてもいいですか。
petto o tsurete kite mo ii desu ka?

C'est mon chien guide d'aveugle / chien d'assistance.
これは私の盲導犬／身障者補助犬です。
kore wa watashi no mōdōken/shinshōsha hojoken desu.

Quel est le numéro de téléphone du vétérinaire ?
獣医の電話番号は何ですか。
jūi no denwa-bangō wa nan desu ka?

Mon animal a disparu.
ペットが行方不明になりました。
petto ga yukue fumē ni narimashita.

VOUS POUVEZ ENTENDRE...

J'ai un / Je n'ai pas d'animal de compagnie.
ペットを飼っています／いません。
petto o katte imasu/imasen.

Je suis allergique aux poils d'animaux.
動物の毛にアレルギーがあります。
dōbutsu no ke ni arerugii ga arimasu.

Les animaux sont autorisés / interdits.
動物は許されています／いません。
dōbutsu wa yurusarete imasu/imasen.

Le numéro du vétérinaire est le...
獣医の電話番号は…です。
jūi no denwa-bangō wa ...desu.

« Attention, chien méchant. »
「猛犬注意」
"mōken chūi".

LE SAVIEZ-VOUS ?

La Japon n'a commencé à élever des animaux que très récemment. Il n'est donc pas courant de voir des vaches ou des moutons dans les campagnes japonaises, sauf à Hokkaïdo ou quelques rares régions.

VOCABULAIRE

la nourriture pour poissons
魚のえさ
sakana no esa

la litière pour chat
猫砂
neko suna

l'agriculteur /
l'agricultrice
農家
nōka

la ferme
農場
nōjō

le troupeau
群れ
mure

l'alimentation animale
動物のえさ
dōbutsu no esa

le chaton
子猫
koneko

le chiot
子犬
koinu

avoir un animal de compagnie
ペットを飼う
petto o kau

promener son chien
犬を散歩に連れて行く
inu o sanpo ni tsurete iku

aller chez le vétérinaire
獣医に行く
jūi ni iku

élever
飼育する
shiiku suru

LES ANIMAUX DE COMPAGNIE

le canari
カナリア
kanaria

le chat
猫
neko

le cheval
馬
uma

le chien
犬
inu

le cochon d'Inde
モルモット
morumotto

le hamster
ハムスター
hamusutā

le lapin
ウサギ
usagi

la perruche
セキセイインコ
sekisē inko

le poisson rouge
金魚
kingyo

LES ANIMAUX DE LA FERME

le canard
アヒル
ahiru

la chèvre
ヤギ
yagi

le cochon
豚
buta

le mouton
羊
hitsuji

le poulet
鶏
niwatori

la vache
雌牛
meushi

GÉNÉRAL

l'abreuvoir
えさ入れ
esaire

l'aquarium
水槽
suisō

le bac à litière
トイレトレー
toire torē

le bocal à poisson rouge
金魚鉢
kingyo-bachi

la cage
ケージ
kēji

le clapier
小屋
koya

l'écurie
馬小屋
umagoya

le foin
干し草
hoshikusa

la gamelle
えさ入れ
esaire

la grange
納屋
naya

la niche
犬小屋
inu goya

la nourriture pour animaux
ペットフード
petto fūdo

la paille
わら
wara

le panier pour chien
犬用ベッド
inu-yō beddo

le pré
牧草地
bokusōchi

l'alligator
ワニ
wani

le crapaud
ヒキガエル
hikigaeru

le crocodile
ワニ
wani

le gecko
ヤモリ
yamori

la grenouille
カエル
kaeru

l'iguane
イグアナ
iguana

le lézard
トカゲ
tokage

la salamandre
サンショウウオ
sanshōuo

le serpent
ヘビ
hebi

la tortue
カメ
kame

la tortue marine
ウミガメ
umigame

le triton
イモリ
imori

le cerf sika
シカ

shika

la chauve-souris
コウモリ

kōmori

le chien viverrin
タヌキ

tanuki

l'écureuil
リス

risu

le hérisson
ハリネズミ

harinezumi

le lièvre
野ウサギ

nousagi

le renard
キツネ

kitsune

le sanglier
イノシシ

inoshishi

la souris
ネズミ

nezumi

LES AUTRES MAMMIFÈRES COURANTS

le bison
バイソン

baison

le chameau
ラクダ

rakuda

l'éléphant
ゾウ

zō

la girafe
キリン
kirin

le gorille
ゴリラ
gorira

le guépard
チーター
chiitā

l'hippopotame
カバ
kaba

le léopard
ヒョウ
hyō

le lion
ライオン
raion

le loup
オオカミ
ōkami

l'ours
クマ
kuma

le renne
トナカイ
tonakai

le rhinocéros
サイ
sai

le singe
サル
saru

le tigre
トラ
tora

l'aigle
ワシ
washi

l'aigrette
シラサギ
shirasagi

l'alouette
ヒバリ
hibari

la bouscarle chanteuse
ウグイス
uguisu

la buse
ノスリ
nosuri

la chouette
フクロウ
fukurou

la colombe
ハト
hato

le corbeau
カラス
karasu

le cormoran
鵜
u

le coucou
カッコウ
kakkō

le cygne
白鳥
hakuchō

la grive
ツグミ
tsugumi

la grue
ツル
tsuru

le guillemot
ウミスズメ
umi suzume

le héron
サギ
sagi

l'hirondelle
ツバメ
tsubame

le manchot
ペンギン
pengin

le martin-pêcheur
カワセミ
kawasemi

le milan noir
トンビ
tonbi

le moineau
スズメ
suzume

la mouette
カモメ
kamome

le pic
キツツキ
kitsutsuki

le pinson
フィンチ
finchi

la sterne
アジサシ
ajisashi

VOCABULAIRE

l'essaim
虫の群れ
mushi no mure

la toile d'araignée
クモの巣
kumo no su

bourdonner
ブンブンいう
bunbun iu

la colonie
コロニー
koronii

la piqûre d'insecte
虫刺され
mushi sasare

piquer
刺す
sasu

l'abeille
ミツバチ
mitsubachi

l'araignée
クモ
kumo

le cafard
ゴキブリ
gokiburi

la chenille
イモムシ
imomushi

la cigale
セミ
semi

la coccinelle
テントウ虫
tentōmushi

l'escargot
カタツムリ
katatsumuri

la fourmi
アリ
ari

le frelon
オオスズメバチ
ōsuzumebachi

le grillon
コオロギ
kōrogi

la guêpe
スズメバチ
suzumebachi

la libellule
トンボ
tonbo

la limace
ナメクジ
namekuji

la luciole
蛍
hotaru

le millepatte
ムカデ
mukade

la mouche
ハエ
hae

le moustique
蚊
ka

le papillon
チョウ
chō

le papillon de nuit
蛾
ga

le scarabée
カブトムシ
kabutomushi

le ver de terre
ミミズ
mimizu

l'anguille
ウナギ
unagi

la baleine
クジラ
kujira

le corail
珊瑚
sango

le crabe
カニ
kani

le dauphin
イルカ
iruka

l'étoile de mer
ヒトデ
hitode

l'hippocampe
タツノオトシゴ
tatsu no otoshigo

le homard
ロブスター
robusutā

la méduse
クラゲ
kurage

l'oursin
ウニ
uni

le phoque
アザラシ
azarashi

le requin
サメ
same

VOCABULAIRE

la tige 茎 kuki	le pétale 花びら hanabira	la graine 種 tane
la feuille 葉 ha	le bourgeon 芽 me	le bulbe 球根 kyūkon

LE SAVIEZ-VOUS ?

Le chrysanthème est un symbole de la famille impériale, et est associé à l'automne. D'autres fleurs, la plus célèbre d'entre elles étant la fleur de cerisier au printemps, sont également fortement liées aux saisons.

la belle-de-jour
朝顔
asagao

le bouton d'or
キンポウゲ
kinpōge

le chrysanthème
菊
kiku

le coquelicot
ケシ
keshi

l'iris
アヤメ
ayame

la jonquille
ラッパズイセン
rappazuisen

la lavande
ラベンダー

rabendā

le lys
ユリ

yuri

le muguet
スズラン

suzuran

l'orchidée
ラン

ran

la pâquerette
ヒナギク

hinagiku

la pensée
パンジー

panjii

le pissenlit
タンポポ

tanpopo

la pivoine
ボタン

botan

la rose
バラ

bara

le tournesol
ヒマワリ

himawari

la tulipe
チューリップ

chūrippu

la violette
スミレ

sumire

VOCABULAIRE

la branche
枝
eda

l'écorce
木の皮
ki no kawa

la racine
根
ne

le tronc
幹
miki

la baie
ベリー
berii

le verger
果樹園
kajuen

le bambou
竹
take

le camélia
椿
tsubaki

le cèdre
杉
sugi

le cerisier
桜
sakura

le champignon
菌類
kinrui

le chèvrefeuille
スイカズラ
suikazura

l'érable
カエデ
kaede

le genêt
エニシダ
enishida

le ginkgo
イチョウ
ichō

la glycine
藤
fuji

la graminée géante
ススキ
susuki

l'herbe
草
kusa

le katsura
桂
katsura

le lichen
地衣類
chiirui

le lierre
ツタ
tsuta

le marronnier
栗の木
kuri no ki

la mousse
苔
koke

le pin
マツ
matsu

le sapin
モミ
momi

le saule
ヤナギ
yanagi

la vigne
ブドウの木
budō no ki

VOCABULAIRE

le paysage
景色
keshiki

le panorama
パノラマ
panorama

le bois
林
hayashi

la grotte
洞穴
dōketsu/hora-ana

la terre
土
tsuchi

la boue
泥
doro

l'eau
水
mizu

l'estuaire
入り江
irie

l'étang
池
ike

l'air
空気
kūki

l'atmosphère
大気
taiki

le lever du soleil
日の出
hinode

le coucher du soleil
日の入り
hi no iri

le climat
気候
kikō

rural
田舎の
inaka no

urbain
都会の
tokai no

polaire (*arctique*)
北極の
hokkyoku no

polaire (*antarctique*)
南極の
nankyoku no

alpin
高山の
kōzan no

tropical
熱帯の
nettai no

tempéré
温帯の
ontai no

LA TERRE

les broussailles
雑木林
zōki-bayashi

la cascade
滝
taki

la colline
丘
oka

le désert
砂漠
sabaku

la forêt
森林
shinrin

le glacier
氷河
hyōga

le lac
湖
mizūmi

le marais
湿地
shitchi

la montagne
山
yama

la prairie
草原
sōgen

la rivière
川
kawa

les rochers
岩
iwa

le ruisseau
小川
ogawa

les terres cultivées
農地
nōchi

la vallée
谷
tani

LA MER

la côte
海岸
kaigan

la falaise
崖
gake

la flaque d'eau de mer
潮だまり
shiodamari

l'île
島
shima

la péninsule
半島
hantō

le récif corallien
サンゴ礁
sangoshō

LE CIEL

l'arc-en-ciel
虹
niji

l'aurore boréale
オーロラ
ōrora

les étoiles
星
hoshi

la lune
月
tsuki

les nuages
雲
kumo

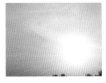

le soleil
太陽
taiyō

L'emplacement du Japon sur la ceinture de feu du Pacifique le rend vulnérable aux tremblements de terre et aux tsunamis. Pendant la saison des typhons (principalement en août et en septembre), les fortes pluies peuvent causer des inondations et des glissements de terrain. Des alertes à la population (警報 keihō) sont diffusées par des haut-parleurs, la radio, la télévision et Internet, ainsi que sur une application en anglais.

VOCABULAIRE

la réplique
余震
yoshin

la crue soudaine
鉄砲水
teppōmizu

le volcan
火山
kazan

la lave
溶岩
yōgan

l'avalanche
雪崩
nadare

le feu de forêt
山火事
yama-kaji

l'équipe de sauvetage
救助隊
kyūjo-tai

évacuer
避難する
hinan suru

secourir
救助する
kyūjo suru

l'éruption volcanique
噴火
funka

le glissement de terrain
崖くずれ／地すべり
gakekuzure/jisuberi

l'inondation
洪水
kōzui

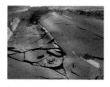

le tremblement de terre
地震
jishin

le tsunami
津波
tsunami

le typhon
台風
taifū

LES FÊTES | お祝いと祭り

Malgré leur réputation de travailleurs, les Japonais aiment aussi célébrer les événements importants de la vie et s'amuser. Le Japon compte 16 jours fériés, qui marquent l'anniversaire de l'Empereur et les équinoxes de printemps et d'automne par exemple. D'autres jours fériés peuvent aussi fêter les enfants, les personnes âgées, la culture et le sport. Beaucoup de coutumes et de traditions sont associées aux différents jours fériés et festivals japonais.

la tenue traditionnelle japonaise
日本の民族衣装
nihon no minzoku ishō

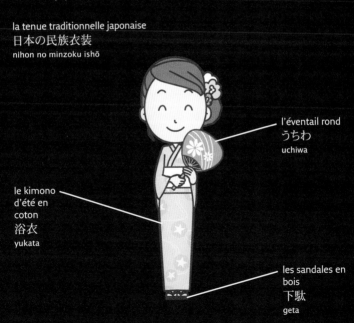

l'éventail rond
うちわ
uchiwa

le kimono
d'été en
coton
浴衣
yukata

les sandales en
bois
下駄
geta

VOUS POUVEZ DIRE / ENTENDRE...

Félicitations !
おめでとう（ございます）！
omedetō (gozaimasu)!

Joyeux anniversaire !
誕生日おめでとう！
tanjōbi omedetō!

Bravo !
よくやったね！
yoku yatta ne!

Bonne chance !
がんばってください！
ganbatte kudasai!

Santé !
乾杯！
kanpai!

Merci.
ありがとう（ございます）。
arigatō (gozaimasu).

VOCABULAIRE

l'occasion
特別な出来事
tokubetsu-na dekigoto

l'anniversaire de mariage
結婚記念日
kekkon kinenbi

la carte de vœux
メッセージカード
messēji kādo

l'anniversaire
誕生日
tanjōbi

le jour férié
祝祭日
shukusaijitsu

fêter
祝う
iwau

le 60ᵉ anniversaire
還暦
kanreki

la célébration
お祝い
o-iwai

faire une fête
パーティーをする
pātii o suru

le mariage
結婚式
kekkon-shiki

la bonne / mauvaise
nouvelle
いい/悪い 知らせ
ii/warui shirase

porter un toast
乾杯する
kanpai suru

LE SAVIEZ-VOUS ?

Même si les cérémonies de mariage sont traditionnellement shinto, les mariages chrétiens à l'occidentale sont de plus en plus populaires, sans pour autant être le signe d'une adhésion aux croyances chrétiennes.

la boîte de chocolats
チョコレートの箱
chokorēto no hako

le bouquet de fleurs
花束
hanataba

le cadeau
贈り物
okurimono

la fête
パーティー
pātii

le feu d'artifice
花火
hanabi

le gâteau
ケーキ
kēki

le karaoké
カラオケ
karaoke

Au Japon, le shintoïsme et le bouddhisme coexistent aux côtés de petites communautés chrétiennes et d'autres religions. Les rituels shinto sont associés à la naissance et à la vie tandis que les funérailles sont généralement bouddhistes.

VOCABULAIRE

la naissance
誕生
tanjō

l'enfance
子供時代
kodomo jidai

obtenir son permis de conduire
運転免許を取る
unten menkyo o toru

la cérémonie d'entrée à l'école
入学式
nyūgaku-shiki

la remise des diplômes
卒業
sotsugyō

trouver un travail
就職する
shūshoku suru

tomber amoureux
恋をする
koi o suru

les fiançailles
婚約
kon'yaku

le mariage
結婚
kekkon

le divorce
離婚
rikon

devenir parent
親になる
oya ni naru

avoir un nouveau travail
転職する
tenshoku suru

la première visite au sanctuaire
お宮参り／初宮参り
o-miyamairi/hatsu miyamairi

le déménagement
引っ越し
hikkoshi

la mutation
転勤
tenkin

la retraite
退職
taishoku

les funérailles
葬式
sōshiki

l'enveloppe cadeau
祝儀袋
shūgibukuro

LE SAVIEZ-VOUS ?

Il est d'usage de donner de l'argent plutôt que des cadeaux, à la fois pour les occasions joyeuses et les occasions tristes. L'argent de fête est appelé お祝儀 (o-shūgi) tandis que l'argent de condoléances s'appelle 不祝儀 (bushūgi). Il est placé dans des enveloppes cadeaux, décorées selon l'occasion et le montant à l'intérieur.

Des milliers de festivals sont organisés tout au long de l'année, allant des petites fêtes locales aux grands événements qui attirent des milliers de personnes. Ils sont souvent liés à l'agriculture et aux saisons, comme la fête des Moissons par exemple, ainsi qu'aux pratiques shinto. Les processions sont courantes, avec des chars magnifiquement décorés, des musiciens et un sanctuaire mobile (神輿 mikoshi) transportant la divinité shinto locale (神 kami) dans le quartier.

VOUS POUVEZ DIRE / ENTENDRE...

Est-ce que c'est férié aujourd'hui ?
今日は祝日ですか。
kyō wa shukujitsu desu ka?

À vous aussi !
…さんも。
...san mo!

Joyeux Noël !
メリークリスマス！
merii kurisumasu!

Quels sont vos projets pour le jour férié ?
休みに何をするつもりですか。
yasumi ni nani o suru tsumori desu ka?

VOCABULAIRE

le jour de la majorité 成人の日 sējin no hi	le 1er avril エイプリルフール eipuriru fūru	le jour de Noël クリスマス kurisumasu
la fête des Mères 母の日 haha no hi	le 1er mai メーデー mēdē	la Saint-Valentin バレンタインデー barentain dē
la fête des Pères 父の日 chichi no hi	le réveillon de Noël クリスマスイブ kurisumasu ibu	Halloween ハロウィーン harowiin

LE SAVIEZ-VOUS ?

La beauté des fleurs de cerisier est célébrée depuis des siècles au Japon et attire des visiteurs venus du monde entier. Mars et avril sont les meilleurs mois pour observer les fleurs de cerisier, avec des fêtes organisées sous les arbres. Les prévisions météo relatent l'avancée du « front des fleurs de cerisier » 桜前線 (sakura zensen) du sud vers le nord.

Plusieurs festivals annuels sont dédiés aux enfants. Le 3 mars, la fête des Filles (ひな祭り hina matsuri) se célèbre avec des mets spéciaux et des poupées. La fête des Enfants (l'ancienne fête des Garçons) est un jour férié célébré le 5 mai par des banderoles en forme de carpes volant sur les toits, qui symbolisent le courage et la force. En novembre, les enfants de 3, 5 et 7 ans portent des vêtements traditionnels et se rendent au sanctuaire shinto local pour y exprimer leur gratitude et prier pour leur santé et leur bonheur futurs.

la contemplation des feuilles d'automne
紅葉狩り
momijigari

la contemplation des fleurs de cerisier
（お）花見
(o-)hanami

la banderole en forme de carpe
鯉のぼり
koinobori

la fête de la Lune
（お）月見
(o-)tsukimi

la fête des Étoiles
七夕
tanabata

la fête des Morts
お盆
o-bon

la fête sept-cinq-trois
七五三
shichi go san

le jour de la majorité
成人の日
sējin no hi

la lanterne flottante
灯籠流し
tōrō-nagashi

Le Nouvel An est la fête la plus importante, et réunit les familles. Les magasins, les commerces et les attractions touristiques avaient l'habitude de fermer pendant plusieurs jours autour du Nouvel An, mais de nombreux magasins sont désormais ouverts, sauf parfois le 1er janvier.

VOCABULAIRE

le réveillon du Nouvel An 大晦日 ōmisoka	le jour de l'An 元旦 gantan	Bonne année ! 明けましておめでとうございます。 akemashite omedetō gozaimasu.

LE SAVIEZ-VOUS ?

Les cloches des temples sonnent 108 fois le 31 décembre à minuit, pour symboliser le nombre de tentations matérielles qui mènent à la souffrance, selon les croyances bouddhistes. Les Japonais visitent le temple ou le sanctuaire local dans les tout premiers jours de janvier pour faire des vœux de chance, de santé et de réussite dans l'année à venir.

la visite du sanctuaire au Nouvel An
初詣
hatsumōde

l'argent du Nouvel An
お年玉
o-toshidama

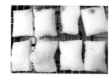

le gâteau de riz gluant
(お)もち
(o-)mochi

la carte de vœux du
Nouvel An
年賀状
nengajō

la cloche du temple au
réveillon du Nouvel An
除夜の鐘
joya no kane

la fête de fin d'année
忘年会
bōnenkai

la nourriture du
Nouvel An
お節料理
o-sechi ryōri

l'objet décoratif en pin
et en bambou
門松
kadomatsu

le Nouvel An chinois
旧正月
kyūshōgatsu

le saké épicé
お屠蘇
o-toso

FRANÇAIS

270

CRÉDITS PHOTOGRAPHIQUES

Shutterstock : p.21 le billet (Walaiporn Paysawat-Mizu), p.21 les horaires (nayuki.wong), p.26 le pare-brise (JazzBoo), p.29 les travaux (Gumpanat), p.33 la porte automatique (McFishoPhoto), p.33 le chauffeur / la chauffeuse (Vassamon Anansukkasem), p.33 le taxi (Savvapanf Photo), p.36 la gare routière (Axel Bueckert), p.36 l'arrêt de bus (Yangxiong), p.36 le minibus (Iakov Filimonov), p.36 le bus touristique (Osugi), p.42 la consigne automatique (iceink), p.42 la gare (cowardlion), p.42 le contrôleur / la contrôleuse (cowardlion), p.42 le guichet automatique (Balakate), p.42 le guichet (Niradj), p.43 le plateau-repas (MoreGallery), p.43 le personnel de gare (Terence Mendoza), p.43 le train à grande vitesse (af8images), p.43 le panneau d'affichage (Yangxiong), p.50 le bateau garde-côtes (Chamelion Studio), p.53 l'auberge (Junki Asano), p.50 la véranda (Phuong D. Nguyen), p.78 le quartier commerçant (Korkusung), p.102 le journal (Razvan Iosif), p.102 la confiserie (Bitkiz), p.102 la boisson énergisante (im_Chanaphat), p.111 les produits de beauté (mandritoiu), p.111 l'électroménager (Bai-Bua's Dad), p.111 l'alimentation (1000 Words), p.111 les chaussures (Toshio Chan), p.111 les cadeaux (icosha), p.111 les jouets (Zety Akhzar), p.114 le kimono d'été en coton (MAHATHIR MOHD YASIN), p.119 l'animalerie (BestPhotoPlus), p.120 le magasin d'antiquités (Hadrian), p.120 la librairie (Joysuw), p.120 le magasin discount (walterericsy), p.120 le magasin d'électroménager (BestPhotoPlus), p.120 le magasin d'électronique (Sorbis), p.133 le distributeur (robbin lee), p.134 le panier-repas bento (MoreGallery), p.146 le bureau de change (Lloyd Carr), p.148 le postier / la postière (MAHATHIR MOHD YASIN), p.148 la boîte aux lettres (Windyboy), p.149 l'église (Ilya Images), p.149 la caserne de pompiers (Kekyalyaynen), p.149 le commissariat (jfling8), p.150 l'hôtel de ville (umickey), p.150 le poste de police de proximité (Atiwat Witthayanurut), p.150 le palais des congrès (lou armor), p.150 le tribunal (Topgun1997), p.150 l'hôtel (Osugi), p.150 le sanctuaire shinto (Natalia Pushchina), p.155 la cathédrale (leodaphne), p.155 le sanctuaire shinto (Natalia Pushchina), p.155 le bus touristique (Osugi), p.155 le guide touristique / la guide touristique (Vladimir Zhoga), p.158 le spectacle de marionnettes bunraku (cowardlion), p.158 le spectacle humoristique (posztos), p.158 le cosplay (Soundaholic studio), p.158 le festival traditionnel (Carlo Falk), p.158 le théâtre kabuki (Kobby Dagan), p.158 la comédie musicale (Igor Bulgarin), p.158 le théâtre nô (posztos), p.161 l'hôtel capsule (MikeDotta), p.161 l'auberge japonaise (Junki Asano), p.170 le koto (akiyoko), p.170 la chorale (Marco Saroldi), p.176 l'orchestre (Ferenc Szelepcsenyi), p.176 la calligraphie (Aleksandar Todorovic), p.183 les chaussures de basket (Milos Vucicevic), p.185 le terrain de football (Christian Bertrand), p.186 le rugby (Paolo Bona), p.191 le juge de ligne / la juge de ligne (Leonard Zhukovsky), p.191 l'arbitre (Stuart Slavicky), p.197 le sumo (J. Henning Buchholz), p.200 le keirin (Leonard Zhukovsky), p.200 la course automobile (Cristiano barni), p.200 le tennis de table (Stefan Holm), p.203 l'ambulancier / l'ambulancière (MAHATHIR MOHD YASIN), p.217 l'ambulance (MAHATHUR MOHD YASIN), p.256 la contemplation des feuilles d'automne (Jay. Phuc Photography), p.256 la fête des Morts (julianne.hide), p.256 la contemplation des fleurs de cerisier (Mctaay), p.256 le jour de la majorité (wdeon), p.256 la fête sept-cinq-trois (Tetyana Dotsenko), p.256 la fête des Étoiles (THAIFINN), p.257 la visite du sanctuaire au Nouvel An (Vincent St. Thomas), p.258 la cloche du temple au réveillon du Nouvel An (picturepartners). Toutes les autres images utilisées proviennent de l'agence Shutterstock.

LES DICTIONNAIRES VISUELS

le Robert & Collins

PARTOUT AVEC VOUS !

 Trouvez le titre qu'il vous faut sur :
www.lerobert.com

Nº d'éditeur : 911648/10287626 - Dépôt légal : juillet 2021

Achevé d'imprimer en France en septembre 2022 par l'Imprimerie Chirat